PRODUKT
UBOCZNY

fabryka słów
W W W . F A B R Y K A . P L

Tomasz Duszyński

PRODUKT UBOCZNY

Ilustracje
Robert Sobota

fabryka słów

Lublin 2007

Wydanie I

ISBN 978-83-60505-40-3

Monice, rodzicom i przyjaciołom

Druga opcja

Hank Dermann został wypluty z wagonika miejskiej komunikacji powietrznej na wąski, wypełniony mrowiem głów peron. Tłum ludzi spieszących do pracy wchłonął go niczym żywy organizm i poniósł w kierunku ruchomych schodów. Mężczyzna uchwycił się kurczowo poręczy, z trudem utrzymując równowagę. W dłoni wciąż trzymał poranną gazetę, a właściwie to, co z niej zostało. Usilnie próbował przeczytać ją w wagonie. Bezskutecznie, tłok był zbyt duży. Zanim zerknął na pierwszą stronę, współpasażerowie zdążyli dziennik doszczętnie zgnieść i porwać. Nie pozostało mu nic innego, jak wepchnąć papierową kulę do kieszeni płaszcza i rozejrzeć się wokół siebie.

Przy schodach, jak co dzień, musiał zdwoić czujność. Nie mógł przeoczyć właściwego zjazdu. Od wielu lat pracował na poziomie minus piętnastym. Gdyby zjechał w głąb, na przykład do minus dwudziestego, musiałby poświęcić kilkadziesiąt minut na przepchnięcie się w tym tłumie i powrót w górę. Jego spóźnienia na pewno nie potraktowano by w pracy ze zrozumieniem, a przecież wiedział, jak piekielnie trudno było o pracę. Takie czasy.

Zielone neony z numerem oznaczającym poziom piętnasty rozbłysły nad głowami podróżujących. Przysunął się do barierki, przepuszczając po swojej lewej stronie ludzi zjeżdżających niżej. Uniósł stopę i ostrożnie przeskoczył na boczny chodnik. Dopiero wtedy się rozluźnił. Odsunął mankiet płaszcza, sprawdzając czas na zegarku. Doskonale. Po raz kolejny postąpił właściwie, wybierając wcześniejszy rozkład lotu. W ten sposób nie odczuł blisko dwugodzinnego opóźnienia wywołanego powietrznymi korkami.

– Hank? – z tyłu dobiegł go znajomy głos.

Obrócił się, próbując zrobić miejsce koledze z pracy. Mati Tobolski był korpulentnym mężczyzną w nieokreślonym wieku. Z wprawą, o jaką trudno byłoby go podejrzewać, użył teczki i łokci, aby rozepchnąć dzielących ich ludzi, i znalazł się obok Dermanna.

Ruchomy chodnik właśnie wysunął się z terminalu. Znaleźli się wśród setek tysięcy głów na hałaśliwej arterii poziomu piętnastego.

– Zrobiłem tak, jak mi radziłeś, szczęściarzu... – powiedział Tobolski.

– Nie rozumiem... – Hank uśmiechnął się krzywo na przywitanie. Popatrzył w górę. Na ekranie imitującym niebo, zawieszonym wysoko ponad szarymi budynkami, zaczęła się właśnie jego ulubiona reklama pasty do zębów. Był bez pamięci zakochany w uśmiechu pięknej Mulatki reklamującej z niezrównanym wdziękiem miętowy produkt.

– No, pytałem się, jak to robisz, że nie spóźniasz się do pracy...

– Ja ci coś w tej sprawie radziłem? – Z trudem oderwał wzrok od obiektu swojego uwielbienia. Nie pamiętał ich rozmowy. Zresztą nie pamiętał, żeby z Matim zamienił choćby jedno słowo na przestrzeni ostatniego miesiąca.

– No tak. Mówiłeś, że wcześniej wyjeżdżasz z domu, że w ten sposób korki ci nigdy nie przeszkodzą. Ty szczęściarzu!

– Szczęściarzu? Co to ma wspólnego ze szczęściem? Przecież to tylko przezorność.

– Mów, jak chcesz. Zawsze przychodzisz na czas. Od dziesięciu lat ani jednego... Ani jednego spóźnienia?! – Tobolski powtórzył słowa, jakby dopiero teraz uświadomił sobie ten oczywisty fakt. – A co ze mną? Jeszcze dwie wpadki i mnie wyleją! Ty nigdy się nie spóźniłeś! A niby skąd wiesz, czy tego dnia będzie tylko godzina opóźnienia. Przecież czasem bywają dwie albo trzy...

– Może jestem przewidujący? – zastanowił się głośno Hank. Ponownie popatrzył w górę. Z przykrością zauważył, że na ekranie poziomu piętnastego pojawiła się kolejna reklama.

– Przewidujący? – roześmiał się Mati. – Zwał, jak zwał. Wszyscy w dziale mówią, że jesteś w czepku urodzony.

– Tak mówią? – Dermann przyjął nowinę bez większego entuzjazmu.

– Pewnie! Zastanawiają się, dlaczego nie grasz na loterii? Ja zresztą też się nad tym zastanawiam! Nie śniły ci się ostatnio jakieś liczby?

– Nie – odpowiedział krótko. Zauważył, że na twarzy kolegi pojawiły się wyraźne oznaki zmartwienia.

– Ale jak ci się przyśnią, to zagraj. – Tobolski znów odepchnął kogoś łokciem. Radził sobie w tłumie doskonale. – I wiesz co?

– Co? – zapytał mimowolnie Hank. Z trudem oddychał dusznym powietrzem. Podróżując ramię w ramię z niezliczoną rzeszą spieszących do pracy mieszkańców metropolii, czuł się gorzej niż sardynka w puszce.

– Pamiętaj, że ja cię do tego namawiałem. Prowizja dla mnie! – Mati wyszczerzył zęby w uśmiechu. Wyglądało na to, że mówi całkiem poważnie.

– A ile byś chciał? – zaciekawił się Dermann. Silił się na powagę.

– Stary, wystarczyłoby pięć procent. Gdybyś dał więcej, tobym się nie obraził, ale pięć by w zupełności wystarczyło. Nawet nie wiem, na co bym wydał tak dużą kasę.

Jak omen wysoko nad ich głowami rozbłysła reklama Państwowej Loterii, fajerwerki wybuchów i ogromna twarz Harry'ego Friedmana odczytującego co środę wylosowane numerki.

– Totalna kumulacja! – wrzeszczał nieznośny, chrapliwy głos. – Bilion dolarów! Zostań bilionerem!

– Obiecaj mi, że zagrasz, stary! To musi być znak – Tobolski momentalnie zapalił się do pomysłu. Powaga na jego twarzy przybrała wyraz mistycznej ekscytacji.

– Coś ty... – Dermann spojrzał na niego niepewnie.

– Proszę cię, ten jeden raz! Dla mnie, Hank. Musisz to zrobić! Jeśli choć trochę mnie lubisz...

– Okay. Zagram, ten jeden raz. – Wpatrzył się w plecy
jadącej przed nim kobiety. Tak naprawdę nie lubił faceta
ani trochę. Wyrażając zgodę, chciał mieć po prostu świę-
ty spokój. – Zagram. Wtedy zobaczymy, czy naprawdę
jestem w czepku urodzony... – powiedział i uśmiechnął
się nieszczerze do Tobolskiego.

Hank uprzątnął stanowisko pracy około godziny dzie-
więtnastej. Czynność ta polegała na wsunięciu klawiatu-
ry pod blat kompaktowego biurka i wyłączeniu monitora.
W boksie, w którym mieścił się tylko on, jego obrotowe
krzesło i komputer, nie starczyło miejsca na nic innego.
Kiedyś próbował powiesić na ściance kalendarz. Strą-
cał go bez przerwy ramieniem, więc w końcu dał sobie
z nim spokój.

Teraz z westchnieniem ulgi wstał i wyprostował plecy. Setki głów w przyległych boksach uczyniło podobnie. Niektórzy już przemieszczali się w stronę wyjścia,
spiesząc do domów. Inni apatycznie dołączali do długiej
kolejki wychodzących, wiedząc, że i tak już za chwilę
utkną w korku gdzieś pomiędzy poziomem piętnastym
a czternastym.

Zacisnął zęby. Odczuł dziwny niepokój, do którego
nie chciał się przyznać. Coś od dłuższego czasu nie dawało mu spokoju, teraz to uczucie się nasiliło. Wracał
do domu po całym dniu ciężkiej pracy, mimo to wciąż
miał wrażenie, że o czymś zapomniał, czegoś nie dopil-
nował.

Kilka boksów dalej przesunęła się postać Tobolskiego. Dawał Hankowi sygnały, machając olbrzymim łapskiem. Dermann uśmiechnął się krzywo, pokazując, że jeszcze nie wychodzi. Mati był wyraźnie zawiedziony. Wzruszył ramionami i ociągając się, ruszył w stronę wyjścia. Najwyraźniej miał coś ważnego do powiedzenia.

Hank usiadł ponownie na krześle. Zachował się grubiańsko, to pewne. Wszyscy mieli go za odludka, teraz w dodatku pomyślą, że jest nieuprzejmy. Nie potrafił się jednak przemóc. Nie chciał nawiązywać z nikim bliższych kontaktów. Lubił swoje samotne podróże z pracy i do pracy. Lubił swoje myśli biegnące leniwie w głowie, gdy przejeżdżał pomiędzy betonowymi poziomami, stał w tłoku w wagoniku powietrznej kolejki lub zjeżdżał do kantyny na spóźniony lunch. Rozmowy z kolegami z pracy były dla niego uciążliwe, musiał się sztucznie uśmiechać i zadawać pytania, do czego nie był najwyraźniej stworzony.

Bezwiednie włączył monitor i połączył się z Siecią. Sprawdził aktualne wiadomości. Kolejna ekipa astronautów wróciła z pustymi rękami z Proximy. Znów nie natrafiono na planetę nadającą się do zamieszkania. Hank nie pamiętał, który to już raz czyta wiadomości podobnej treści. Po wynalezieniu nowego napędu międzygwiezdnego mówiło się, że odkrycie świata odpowiedniego dla ludzi jest kwestią czasu, kilku, maksymalnie kilkunastu lat. Jednak poszukiwania trwały już od trzech dekad i coraz to nowe ekspedycje wracały z niczym. Ziemia tymczasem, co Hank codziennie odczuwał na własnej skórze, stawała się coraz mniejsza. Przybywało ludzi, planeta stała się wielopoziomową betonową metropolią i wydawało się, że w każdej chwili może pęknąć w szwach.

Wyłowił na stronie portalu informacyjnego migającą, krzykliwą reklamę Państwowej Loterii. Uśmiechnął się. Już wiedział, co było źródłem jego niepokoju. Obiecał coś Matiemu. Obiecał mu, że zagra. Jeśli teraz szybko wytypuje kilka liczb, dadzą mu spokój. Jutro rano będzie miał temat do rozmowy z Tobolskim. Ba, jeśli nawet spotka kolegę na poziomie piętnastym, zagadnie go pierwszy. Zatrze przynajmniej niemiłe wrażenie, które dzisiaj po sobie zostawił.

Aktywował reklamowy banner, łącząc się ze stroną Państwowej Loterii. Wybrał dzisiejsze losowanie i skreślił sześć przypadkowych liczb. Pierwszych, które przyszły mu do głowy. Potwierdził wybór i podał swój numer rejestracyjny. Bank automatycznie pobrał kredyty z jego konta, a laserowa drukarka wyplukła kupon kontrolny. Hank schował go do kieszeni i z poczuciem dobrze spełnionego obowiązku dołączył do tłumu opuszczającego budynek.

Następnego dnia Hank obudził się wcześnie rano. Wziął szybki prysznic, ubrał się, zjadł kanapkę z serem i wyszedł z mieszkania. Chwilę później opuścił apartamentowiec. Mdłe światła imitujące świt na poziomie minus piątym nieregularnie pulsowały. Cyfrowy obraz księżyca przesuwał się nad domami regularnymi skokami, to znikał, to się pojawiał. Znów coś musiało nawalić. Na wschodzie widać było rąbek wstającego słońca. Zatrzymało się w miejscu, jakby ktoś je zamroził. Technicy uwijali się jak w ukropie, próbując usunąć problem. Wyglądało jednak na to, że nie uporają się z usterką przed kolejnym blokiem reklamowym. Hankowi było to na rękę. Miał nadzieję, że ta chwila spokoju potrwa dłużej. Ścisnął mocniej teczkę i udał się bezpośrednio w stronę windy zmierzającej na powierzchnię Ziemi, a stamtąd w stronę przystanku.

Powietrzna kolejka przyleciała z blisko godzinnym opóźnieniem. Mógłby założyć się z każdym o całą pulę kredytów, którą miał na koncie, że opóźnienie jeszcze wzrośnie, i to minimum trzykrotnie. W przedziale było duszno, Hank wcisnął się pomiędzy krótko ostrzyżonego Japończyka a korpulentną Murzynkę ściskającą plastikową torbę. Założył ręce na piersi i oparł się o ścianę, przygotowując się na długi lot. Jedyne, co mógł zrobić, to przymknąć oczy i zapaść w niespokojną drzemkę, podobnie jak większość pasażerów.

Nie był pewny, o czym śnił, kiedy obudził go natarczywy komunikat emitowany z głośników. Przetarł dłonią spocone czoło i rozejrzał się przytomniejszym wzrokiem. Dolecieli do Strefy Czwartej. Za chwilę wylądują na peronie.

Hank próbował przecisnąć się w stronę drzwi. Niepotrzebnie. Wystarczyło wyjrzeć przez szybę, żeby zobaczyć tłok w powietrzu. Stali w korku, kilka innych pojazdów transportu miejskiego czekało na lądowanie. Wokół nich przelatywały mniejsze jednostki. Prywatne samochody, taksówki, długie cienie policyjnych wozów. Jak okiem sięgnąć w powietrzu pojawiały się i znikały mniejsze lub większe punkciki. Linie aerostrad płynęły równolegle, jak czarne wstążki rzucone na wietrze. Pokrywały całe niebo.

Trzy kwadranse później tłum wypchnął go na peron, a potem w dół, w stronę schodów prowadzących do niższych poziomów. Hank poruszał się automatycznie. Pilnował tylko swojego zjazdu. Odczuł ulgę, gdy wreszcie znalazł się na minus piętnastym. Chodnik głównej arterii komunikacyjnej działał bez zarzutu. Dermann rozglądał się wokół siebie, szukając Tobolskiego. Po raz pierwszy czuł przymus rozmowy z kimś znajomym. Matiego jednak nie było. Wyglądało na to, że znów spóźni się do pracy. Jak tak dalej pójdzie, rzeczywiście go wyleją.

Spojrzał w górę. Ekrany wciąż były zepsute. Tak jak podejrzewał, musiał wysiąść cały system przekazu. Co jeszcze dzisiaj się wydarzy? Zadumał się. Przeskoczył na chodnik zmierzający w stronę biura. Szklane drzwi rozsunęły się zachęcająco na jego przywitanie. Przestąpił próg z uczuciem ulgi. Tutaj klimatyzacja działała bez zarzutu. Nie czuł zaduchu typowego dla zatęchłej metropolii.

– Hank Dermann?

Dopiero teraz zobaczył mężczyznę i towarzyszące mu dwa policyjne androidy.

– Tak? – niepewnie przyznał.

Serce nieprzyjemnie załomotało w piersi Hanka, gdy jeden z androidów ujął jego dłoń, sprawdzając odciski palców i skanując siatkówkę oka.

– Jest pan aresztowany pod zarzutem morderstwa pierwszego stopnia – mężczyzna odezwał się dopiero po potwierdzeniu tożsamości Dermanna.

– Pod zarzutem morderstwa? – Hank nerwowo rozejrzał się wokół siebie. W holu zebrało się kilka grupek ciekawskich, z uwagą obserwujących wydarzenie.

– Przeszukać go...

– Co panowie robią? To musi być nieporozumienie. – Cofnął się o krok, unosząc ręce w górę. – Nic nie rozumiem.

– Ciało Matiego Tobolskiego zostało odnalezione w pana mieszkaniu. – Mężczyzna patrzył na niego beznamiętnie. W tej chwili trudno było go odróżnić od towarzyszących mu robotów. – Próbował je pan ukryć z oczywistych powodów. Wciąż szukamy dowodu potwierdzającego...

– Mamy. – Android, który stał najbliżej Hanka, wyciągnął z kieszeni jego płaszcza kupon Loterii Państwowej.

– Panie Dermann, pojedzie pan z nami. – Mężczyzna uznał rozmowę za zakończoną. Skrzywił się, dopiero teraz zdradził swoje emocje i popchnął Hanka w stronę wyjścia.

Siedział w wozie policyjnym z twarzą ukrytą w dłoniach. To, co spadło na niego w ciągu ostatnich godzin, przygniotło go i pozbawiło tchu. W mgnieniu oka zmieniło się całe jego życie. Zaledwie godzinę temu ogłoszono wyrok. Nieodwołalny. Odpowie za czyny, których nie popełnił. Co gorsza, jedyne, co mógł teraz robić, to odliczać minuty do egzekucji.

Strach nie pozwalał mu myśleć, mimo to jeszcze raz analizował sytuację. Wciąż łudził się, że uda mu się z tego wyplątać. Przecież to musiała być pomyłka. Ktoś go wrobił. To pewne, lecz kto? Potrząsnął głową, próbując pobudzić szare komórki do działania. Nie miał siły, żeby to wszystko poskładać do kupy.

– Masz pecha, stary. – Policjant siedzący naprzeciwko musiał kiedyś służyć w brygadzie antyterrorystycznej. Ledwie się mieścił w niebieskim policyjnym uniformie. Spod pleksi kasku wystawały jego białe, wyszczerzone w szyderczym uśmiechu zęby.

Hank popatrzył na mężczyznę. Po raz pierwszy od chwili aresztowania był gotów przyznać rację przedstawicielowi prawa. Miał pecha. Cholernego pecha. Biedny Tobolski nawet nie wiedział, jak bardzo się mylił, nazywając go szczęściarzem. A teraz on, Dermann, odpowie za uśmiercenie kolegi z pracy.

– Warto było? Co? Dla kilku marnych milionów?

Policjant najwyraźniej nie miał zamiaru dać mu spokoju. To samo pytanie padło na sali sądowej z ust oskarżyciela. Sam proces nie trwał nawet pięciu minut. Hanka wprowadzono przed oblicze głównego Architekta Sprawiedliwości. Twarz sędziego, a właściwie wyobrażenie jego twarzy pojawiło się na ekranie kilka sekund później. W sali sądowej czekał już android obrońca i oskarżyciel. Dermann zdążył jedynie powiedzieć, że jest niewinny. Od tego momentu rozprawa potoczyła się błyskawicznie. O nic więcej go nie zapytano. Androidy bezdźwięcznie przerzucały się danymi, kruczkami prawnymi i materiałem dowodowym. W ciągu dwóch minut wszystkie warianty obrony i oskarżenia zostały wyczerpane. Android obrońca w momencie kulminacyjnym zazgrzytał, zwiesił głowę i wtedy stało się jasne, że los oskarżonego został definitywnie przypieczętowany.

Architekt Sprawiedliwości odczytał wyrok i wtedy zadał to pytanie. Hank nie zdążył nawet odpowiedzieć. Ekran zgasł, androidy wczytały dane kolejnej rozprawy, a jego wyprowadzono z budynku wprost do policyjnego wozu.

– Dam ci połowę, jeśli pomożesz mi się uwolnić – powiedział niespodziewanie Dermann.

Uśmiech policjanta raptownie zgasł. Wyraźnie zadrżał mu podbródek. Rozejrzał się nerwowo, mimo że w samochodzie byli sami.

– Połowa dla ciebie. Pełne cztery miliony kredytów, jeśli mi pomożesz.

– No co ty... – Gliniarz wyraźnie się zmieszał. Mocniej zacisnął dłonie na broni. Najwidoczniej zrobiło mu się gorąco, bo otarł rękawicą kropelki potu lśniące na brodzie.

– Decyzja należy do ciebie, druga taka okazja na pewno się nie trafi – powiedział z naciskiem Hank. – Musimy działać szybko!

– Jak.. jak byśmy to zrobili? – głos mężczyzny drżał. Nerwowo przełykał ślinę. W każdej chwili jego serce mogło wyskoczyć spod kuloodpornej kamizelki.

– Zrobiłbyś to? – Dermann nie potrafił powstrzymać śmiechu. Czuł, że ogarnia go szaleństwo. – Naprawdę byś to zrobił? Warto by było? Dla kilku marnych milionów? Przecież ja nawet nie mam kuponu!

Policjant podniósł się ciężko z siedzenia. Ostatnim obrazem, który Hank zanotował, była czarna, lśniąca metalicznie kolba zbliżająca się gwałtownie do jego głowy.

– Stawiał opór. Musiałem go obezwładnić.

Słowa dochodziły z daleka, jakby z innego pokoju albo świata. Powieki były ciężkie, tak ciężki mógłby być tylko ołów. Coś mówiło mu, żeby ich nie podnosić, żeby pozostać w tej fazie półsnu, ale było już za późno. Świetlówki poraziły oczy. Bolesna jasność wdarła się pod czaszkę, przechodząc dziwnym obezwładniającym prądem wzdłuż szczęki i niżej, aż do barku. Ból eksplodował głęboko w oczodole. Jęknął, ktoś pociągnął go do góry, zmuszając, żeby usiadł.

– Jak się czujesz? – pytanie zadał wysoki mężczyzna. Ubrany był w szary garnitur, pod szyją miał zawiązany czerwony, wściekle czerwony krawat.

Hank zaśmiał się cicho. Właśnie wszystko sobie przypomniał. Nie bawiła go niestosowność tego pytania, przecież za chwilę miał się pożegnać z tym światem, rozbawił go ten krawat. Nie pasował do szarych betonowych ścian, brudnoniebieskich uniformów i jarzeniówek. Najwyraźniej noszący go mężczyzna za wszelką cenę chciał się odróżnić od otoczenia. Można było za to z miejsca nabrać do niego sympatii.

– Jak się czuję? – Popatrzył uważnie na właściciela czerwonego krawatu. – Świetnie, jak nigdy dotąd.

– Miałeś szczęście. – Mężczyzna zrobił krótką pauzę. – Kilka centymetrów w bok i mogło być po tobie.

– Co to za różnica. I tak mnie to czeka, prędzej czy później. – Hank czuł dziwne rozbawienie. Znów mówili o szczęściu.

– Niekoniecznie. – Mężczyzna uśmiechnął się także. Odsunął się i usiadł na krześle, które ktoś usłużnie mu podstawił. – Możemy sprawić, że to, co nieuniknione, będzie później... przynajmniej trochę później.

– Nie rozumiem. – Dermann ostrożnie dotknął palcami opuchlizny z boku głowy. Skrzywił się. Od stłuczenia biło nieprzyjemne ciepło, skóra była naciągnięta, a pod nią wydawała się zbierać krew.

Mężczyzna dał znak towarzyszącym mu osobom, żeby opuściły pokój. Ostatni, z wyraźnym ociąganiem wyszedł policjant, z którym Hank miał przyjemność zaznajomić się bliżej. Dermann nie omieszkał pomachać mu na pożegnanie.

– Mam dla pana propozycję. Zważywszy na brak innych opcji, myślę, że przyjmie ją pan z wdzięcznością – powiedział mężczyzna, gdy znaleźli się sami w pokoju.

Dermann zamyślił się. Pojawiła się iskierka nadziei, której bał się jeszcze uchwycić. Zrozumiał jednak, że jego sytuacja uległa zmianie. Zaczęli mówić mu per pan, a jeszcze kilka chwil temu nie bawili się w uprzejmości. Był dla nich śmieciem, który miał być poddany rutynowej utylizacji.

– Czego pan chce? Bo rozumiem, że czegoś pan ode mnie chce? – Spojrzał mężczyźnie prosto w oczy. – Mam nadzieję, że nie tych ośmiu milionów kredytów, bo nigdy ich nie miałem!

– Osiem milionów? – Mężczyzna zaśmiał się. Wytrzymał spojrzenie, nawet nie mrugnął. – Chyba się nie rozumiemy, panie Dermann. Ja nie mówię, że uchronię pana przed śmiercią. Ja panu mogę obiecać jedynie odwleczenie wyroku w czasie.

Hank zamyślił się. Czegoś takiego się w sumie spodziewał. Na co innego mógł liczyć?

– Wie pan, czym jest banicja? Stosowano ją kiedyś, bardzo dawno temu. – Mężczyzna zapatrzył się w swój krawat, strzepnął z niego niewidzialny okruch i poprawił wiązanie.

– Wiem, czym jest banicja, ale co to ma wspólnego ze mną? – Ból skroni stał się pulsujący i przemieścił w tył czaszki.

– Wiele, panie Dermann, nawet pan nie wie, jak wiele. – Jego rozmówca, szurając po podłodze nogami krzesła, przysunął się bliżej.

– Proszę mówić – powiedział Hank, obiecując sobie, że jeśli kiedyś będzie miał szansę, to kupi sobie identyczny czerwony krawat.

– Mamy problem z zabijaniem ludzi, panie Dermann. Nasze prawo jest ostre, bezwzględne dla przestępców. Skazujemy wielu na karę śmierci. Faktycznie jest to już masowe ludobójstwo. Codziennie w samych Stanach wykonujemy kilkadziesiąt tysięcy egzekucji... – Mężczyzna odchylił się na krześle, jakby chciał nadać znaczenia swoim słowom. – To już nie są egzekucje, to jest masowa eksterminacja.

Hank niezauważalnie skinął głową. Nie zastanawiał się nad tym wcześniej. Nigdy go to nie interesowało. Teraz wizja kilkudziesięciu tysięcy ludzi poddanych egzekucji zmroziła mu krew w żyłach. Być może dlatego, że dzisiaj miał być jednym z nich.

– Jedyne, co mamy na swoje usprawiedliwienie, to fakt, że planeta jest przeludniona, a tak wielu ludzi to punkt zapalny sam w sobie. Gdyby nie ostre prawo, zapanowałby chaos. Nikt by nas nie powstrzymał, zniszczylibyśmy się sami...

Dermann milczał. Nietrudno było wyobrazić sobie Ziemię w chaosie. On od dawna uważał, że są od tego zaledwie kilka kroków.

– Protestów jest jednak coraz więcej. Nazywają nas mordercami. Dlatego musimy coś zmienić. Odnaleźć i wybrać inną, lepszą opcję. Tak żeby choć trochę złagodzić napięcia... – mężczyzna ściszył głos. Mówił jednak wciąż dobitnie, tak żeby słuchacz nie uronił nawet jednego słowa. – Było kilka pomysłów. Nie sprawdziły się. Chcemy przetestować ostatni. Pan może nam w tym pomóc.

– O nie! – Hank poruszył się gwałtownie. Zbyt gwałtownie. W czaszce odezwał się młot pneumatyczny. – Co mam według was zrobić? Może sam się zabić? Połknąć kapsułkę albo powiedzieć światu, że moim marzeniem od chwili narodzin była nagła i skuteczna śmierć?

– Niezupełnie, panie Dermann. – Mężczyzna poklepał go uspokajająco po udzie. – Proponuję panu banicję. Będzie pan ochotnikiem, który przetestuje nasz nowy pomysł.

– Ale jaką banicję? Gdzie mnie wygonicie? Do lasu? Na pustynię? Przecież na tej planecie już nie ma miejsca!

– Dokładnie! Ale kto mówi o tej planecie? Kosmos jest nieskończony!

– Zwariowaliście! – Pokręcił głową z niedowierzaniem. – Nikt dotąd nie odnalazł planety zdatnej do zamieszkania i przeżycia! To pewna śmierć!

– Drogi panie! – wydawało się, że w głosie mężczyzny pojawiło się oburzenie. – Przecież nie mówiłem, że uratuję pana przed śmiercią. Ja panu mogę obiecać jedynie odwleczenie wyroku w czasie.

Hank zacisnął pięści. W jednej chwili zapomniał o bólu.

– Żeby was...

– To jak? Powiedzieć, żeby przygotowali statek, czy moze woli pan komorę, panie Dermann?

Gdy zakładał skafander, uśmiechał się do siebie, zupełnie jak dziecko. Wciąż trzymali go na muszce, może obawiali się, że zacznie uciekać, a może że zrobi sobie krzywdę. A przecież nie miał gdzie zbiec, poza tym nie chciał. Odganiał od siebie myśl, że za kilka, może kilkanaście dni zakończy swoje życie gdzieś daleko w kosmosie, liczyło się tu i teraz. Wyobrażał sobie, że spełniają się jego dziecięce marzenia i oto ma szansę zostać astronautą, zdobywcą przestworzy. Nieważne, że mały Hank Dermann tak naprawdę chciał być strażakiem. Teraz musiał przekonać sam siebie, że stoi u progu wielkiej przygody, a tutaj, na Ziemi, nie czekało go nic innego jak zmartwienia, monotonia życia, a w końcu i śmierć.

– Jestem gotów – powiedział, klepiąc się w skafander na piersi.

Bo był. Po raz pierwszy w życiu był gotowy zmierzyć się ze swoją przeszłością. Nie miał tego natrętnego wrażenia, że zostawił coś, że o czymś zapomniał. Nie musiał wracać do domu po teczkę, którą zostawił na stole, po śniadanie albo wykresy dla kierownika sprzedaży. Teraz był wolny, bez bagażu, bez żadnych obciążeń.

– Po wystartowaniu zostanie uruchomiony automatyczny pilot. – Mężczyzna, który prowadził Hanka wąskim korytarzem, był inżynierem technicznym. Przedstawił się Dermannowi zaraz na początku, kazał nazywać siebie Morgan. – Będziesz podróżował z nowym napędem, metodą skokową.

– Co to znaczy?

– W sumie nic. – Uśmiechnął się. – Po prostu automatyczny pilot doprowadzi cię tylko do punktu X. Tam będziesz zdany na siebie.

– Jak to zdany na siebie? Nie mamy konkretnego punktu podróży? Jakiejś planety, albo chociaż jakiegoś księżyca? – Hank zamrugał nerwowo, próbując pojąć, co mówi do niego Morgan.

– Nie. – Technik spojrzał na niego ukradkiem, zrobił się nagle poważny. – Punkt X to punkt w przestrzeni kosmicznej, z którego zaczyna się dopiero twoja podróż. Tam nic nie ma, ale jest to dobra baza wypadowa do dalszej podróży. Gdy już tam będziesz, sam wybierzesz kierunek, w którym się udasz.

– To znaczy, że nie jest tak źle – Hank wyraźnie odetchnął z ulgą. – Przynajmniej pozwiedzam. Zobaczę kilka planet...

– Niezupełnie... – Morgan zawahał się. – Statek jest przygotowany do odbycia jednej podróży. Z punku X możesz wybrać tylko konkretny cel, jeden kierunek lotu. Pamiętaj o tym. Statek przy odrobinie szczęścia bezpiecznie wyląduje i to wszystko. Już więcej nie będzie zdatny do użytku...

– To oznacza, że zminimalizowaliście moje szanse do zera.

– Do dwóch tysięcznych, Hank. Zawsze to coś... – Technik poklepał go po plecach, próbując dodać otuchy.

– Dzięki. – Dermann przyjął ten przyjacielski odruch z wdzięcznością.

– Przynajmniej będziesz jednym z pierwszych, którzy podróżują sami. W przyszłości, po wszystkich testach, będziemy zmuszeni zminimalizować koszty. Wtedy będą wysyłać kilkadziesiąt tysięcy ludzi jednym statkiem...

– I to ma być humanitaryzm? – Hank westchnął ciężko. – To dalej ludobójstwo...

– Ale bardziej cywilizowane – powiedział Morgan. W jego głosie słychać było głębokie przekonanie o słuszności tego wyboru.

– Będę jednym z pierwszych? – Dopiero teraz do Hanka dotarło pełne znaczenie tych słów.

– Dzisiaj startuje kilka statków. – Morgan uśmiechnął się znowu. Weszli do windy towarowej. Inżynier wybrał przycisk z napisem „port główny". – Nie jesteś wybrańcem losu.

Drzwi windy otworzyły się i wyszli na szeroką platformę zawieszoną wysoko w przestworzach, ponad powietrznym tłokiem miasta. Zachodzące słońce odbijało się na kadłubach lśniących statków. Kilka innych osób, ubranych w podobne srebrne skafandry, zbliżało się do swoich pojazdów.

– To oni? – szepnął Dermann, jakby bał się, że mogą go usłyszeć.

– Tak – powiedział równie cicho Morgan. – Ulżyło ci trochę? Przynajmniej do punktu X nie będziesz czuł się samotny.

– Rzeczywiście – przyznał Hank. Nie mógł oderwać wzroku od dziewczyny, która dotarła właśnie do najbliższego statku.

– Tamten obok jest twój – powiedział technik. – Przygotowałem go wzorowo. Nic ci się w nim nie stanie, zobaczysz.

Hank nie słuchał go. Wciąż patrzył na dziewczynę. Zbliżał się do niej i był coraz bardziej pewny, że ją zna.

– Ha, podoba ci się? – Morgan zauważył jego roztargnienie. – Szkoda jej. Zrobić taką głupotę!

– To jednak ona! – Dermann niemal krzyknął. Serce podskoczyło mu do gardła.

– Ona, ona! – Inżynier pokręcił głową z dezaprobatą. – Ludziom to się jednak przewraca w głowach. Uwierzysz, że zabiła swojego producenta? Podobno zagarnął wszystkie pieniądze z tej miętowej pasty, co ją reklamowała. I po co jej to było? Ja wszystko rozumiem, ale żeby tak od razu zabijać? A co to, sądów nie ma?

Hank nie słuchał. Zatrzymał się obok swojego statku. Widział jak przez mgłę napis na kadłubie „Więzień numer 4". Dziewczyna z reklamy stała w odległości kilkudziesięciu kroków od nich. Widział wyraźnie, że drżała. Gdy popatrzyła na niego, delikatnie uniósł dłoń, żeby

ją pozdrowić. Ten gest wydał mu się niezmiernie głupi, ale nie potrafił się powstrzymać. Przez chwilę był pewny, że dziewczyna przestała drżeć, a nawet że się do niego uśmiechnęła. Jednak w tym momencie towarzyszący technik włożył jej na głowę hełm.

– Już czas – powiedział Morgan. – Czas na ciebie, Dermann. Pamiętaj o jednym. Nie próbuj tutaj wracać. Zainstalowany w kadłubie ładunek wybuchowy automatycznie eksploduje po ponownym przekroczeniu granicy układu.

Hank skinął głową, dając znak, że rozumie. Nie odrywał wzroku od dziewczyny, nawet gdy ta weszła na ruchomy wyciąg, który uniósł ją do góry. Dopiero gdy znikła w swoim statku, pozwolił nałożyć sobie hełm. Potem i on wszedł na rampę. Podnośnik wywindował go błyskawicznie ponad płytę lądowiska. Nie pozostało mu nic innego, jak przekroczyć śluzę i zająć miejsce w fotelu pilota, dokładnie zapinając pasy.

Nie odczuwał wstrząsów, gdy silniki zostały uruchomione i cała moc wyrzuciła statek do góry. Jedyne, o czym mógł myśleć, to ta dziewczyna. Był pewien, że przed wejściem do statku, gdy jeszcze raz obróciła się w jego stronę, uśmiechnęła się. I Hank Dermann wiedział, że ten uśmiech był przeznaczony tylko dla niego, nie dla dziesiątków miliardów bezimiennych telewidzów.

Cisza. Punktu X nie zaznaczył żaden donośny sygnał dźwiękowy, błękitna flara albo zwykła informacja na monitorach kokpitu. Cisza silników była znacząca, brzmiała jak wyrok, jak wiadomość, że znalazł się w miejscu, z którego nie ma odwrotu. Teraz od powziętej decyzji zależały jego dalsze losy. To, czy przedłuży swoje życie o dzień, dwa lub trzy. Na wiele więcej nie liczył. Odpiął pasy. Usiadł wygodniej i odetchnął. Nie był zdenerwowany. Ani trochę. Wcześniej bał się, że nie będzie potrafił podjąć decyzji. Niepotrzebnie. Zastanawiał się nawet, czy nie działa jak straceniec. Być może ktoś inny w jego sytuacji rozpocząłby gruntowną analizę wydarzeń, szukałby wyjścia, ocalenia, obliczałby prawdopodobieństwo przeżycia albo wręcz przeciwnie – od razu roztrzaskał się o najbliższą asteroidę. Hank postanowił działać inaczej. Wiedział, że jego wybór i tak będzie ostateczny. Nie zdąży nawet pożałować podjętej decyzji, tej lub innej. Wiedział, co musi zrobić.

Na ekranie monitora pojawiły się białe i czerwone plamki. Punkt za punktem komputer odczytywał kolejne koordynaty z gwiezdnej mapy. Pojawiły się liczby, nieznane nazwy nadane miejscom, których nikt nigdy nie odwiedził i nie zobaczył. Przez tę chwilę Dermann poczuł się jak Bóg, z mocą jednej, najważniejszej decyzji w swoim życiu. Mógł już za chwilę zmierzać w najodleglejszy punkt kosmosu. Pojawić się tam jako pierwszy człowiek w historii. Mógł wszystko, no, prawie wszystko. Możliwości były tysiące, setki tysięcy, miliony, wystarczyło się zastanowić.

Hank nie czekał. Przerwał pobieranie danych przez komputer i podał pierwszy koordynat, jaki przyszedł mu do głowy. Planeta nosiła mało romantyczną nazwę H4 GH5. Nie odczytał nawet nazwy konstelacji, w której stronę miał zmierzać. Po prostu potwierdził kierunek lotu i na powrót zapiął pasy.

Kilkanaście godzin później, gdy ujrzał cel swojej podróży, po prostu zamknął oczy. Zaczął się też pocić, mimowolnie. Ciężkie krople spływały z jego czoła, czuł ich słony smak w ustach. Zmusił się, żeby ponownie spojrzeć na czerwony, krwisty glob wypełniający ekran w kokpicie. Rósł w oczach, najpierw był małą, jasną plamką budzącą, zupełnie jak światełko w tunelu, nadzieję w sercu. Potem stał się ostatecznym wyrokiem.

Nie dostrzegł nawet skrawka błękitu, odrobiny zieleni. Czerwone plamy wirowały mu przed oczami, rozgrzana do czerwoności magma przelewała się, mieszała, pulsowała. Hank był pewny, że widzi gejzery ognia wypluwane w przestrzeń kosmiczną, języki płomieni, które próbują sięgnąć jego statku, by spalić go na popiół. Były coraz bliżej.

– Proszę przygotować się do lądowania...

Dermann skulił się w sobie, słysząc ten beznamiętny komunikat. Chciał krzyknąć, ale w płucach zabrakło mu powietrza. Zacisnął zęby. Spokój, z którego był tak dumny, ulotnił się błyskawicznie. Ogarnęła go panika. Nie mógł zatrzymać statku, nie mógł zmienić kursu. Nie mógł zrobić nic.

Pierwszy wstrząs odczuł tak, jakby ktoś rozrywał go od środka. Każdy zgrzyt, pisk wydawał się tym ostatnim. Grzmiący warkot przeszedł przez poszycie kadłuba. Hank był pewien, że właśnie w tej chwili jego statek jest miażdżony przez niewyobrażalną siłę czekającą na to, żeby wedrzeć się do środka i rozprawić ze śmiałkiem, który tak łatwo uwierzył w swoje szczęście. Temperatura w kokpicie podniosła się gwałtownie. Szum w uszach rozsadzał bębenki. Czuł, że lada chwila jego serce pęknie, nie nadążając z pompowaniem pędzącej w żyłach krwi.

Z pierwszym uderzeniem został wciśnięty w fotel. Pasy zabezpieczające wpiły się w jego ramiona i klatkę piersiową. Zagryzł wargi. Modlił się, żeby to się skończyło jak najszybciej. Każda sekunda wydawała się wiecznością. Nie potrafił tego znieść. Chciał odejść w niebyt. Chciał jak najszybciej przestać istnieć.

Kolejne uderzenie rzuciło nim do przodu. Świat zawirował. Jęk rozrywanego kadłuba był ostatecznym sygnałem nadchodzącego końca. Zapadając się w ciemną czeluść, Dermann zdążył odczuć ulgę, że jego prośba została wreszcie wysłuchana.

Czuł, że coś jest nie tak. W niebie na pewno nie był. Tam nie odczuwałby przejmującego bólu w żebrach i na pewno nikt nie wiązałby go tak szczelnie pasami. Na piekło to też raczej nie wyglądało. Brakowało zapachu siarki i, z całym szacunkiem dla odniesionych ran, fizyczny ból na pewno byłby trudniejszy do zniesienia.

Otworzył oczy. Na ekranie monitorów przesuwały się znaczki i wykresy. Maszyny pracowały. Temperatura nie była podwyższona. Wydawało się, że jest nawet troszecz-

kę za chłodno. Rozejrzał się. Kokpit wyglądał normalnie,
tak jak w czasie wylotu. Żadnych uszkodzeń, dziur, ro-
zerwanego poszycia, zmiażdżonych grodzi.

Uniósł wysoko brwi. Przecież mu się nie przewidzia-
ło. Planeta, na której wylądował, nie dawała szans przeżycia. Powinien teraz smażyć się w oceanie rozgrzanej
lawy. Definitywnie powinien był rozstać się z życiem.

Odpiął pasy. Dotknął nóg, poruszył nimi dla pewności. W porządku. Na pewno był cały. Zwrócił się w stronę
kokpitu. Wcisnął przycisk, nakazując podniesienie fil-
trów na głównym ekranie. W pomieszczeniu zrobiło się
jasno. Hank wstał i wyjrzał na zewnątrz.

Wylądował na jakimś wzniesieniu. Po różowym niebie przesuwały się wolno różowe chmury. Czerwona tar-
cza słońca dotykała koron drzew pełnej życia dżungli,
która ciągnęła się hen daleko, po horyzont. Wszędzie, jak
okiem sięgnąć, widać było ptaki. Podrywały się do lotu.
Krążyły nad statkiem, jakby po raz pierwszy widziały tak
wielkiego skrzydlatego brata. Niektóre próbowały przy-
siąść na wciąż rozgrzanym kadłubie.

Uśmiechnął się. Był co prawda uratowany, ale znając
od podszewki swoje szczęście, mógł się spodziewać, że
któryś z tych latających ptaków okaże się teraz krwio-
żerczym potworem.

Wynoszenie najpotrzebniejszych rzeczy z luku ładowni
zajęło mu cały dzień. Nie było tego wiele. Najwyraźniej
nikt nie spodziewał się, że Hank wyjdzie z eksperymentu

cało. Znalazł między innymi namiot termiczny, którego na razie postanowił nie używać. Zadecydował, że przez jakiś czas pomieszka na statku, w końcu nie było pewne, czy rzeczywiście na zewnątrz nie czyhają jakieś niebezpieczeństwa. Wokół wzgórza rozpiął pole siłowe. Skrzynki z żywnością, kilka podstawowych narzędzi i gratów ustawił na jednej kupie pod skrzydłem statku. Nie miał czasu ich otwierać.

Szybko zorientował się, że planeta krąży wokół słońca bardzo podobnego do tego na Ziemi. To je właśnie Dermann zobaczył podczas podchodzenia do lądowania i mylnie wziął za cel swojej podróży. Ze strachu zamknął wtedy oczy, więc nie zauważył, że statek zmienia kurs i ląduje na jednej z planet systemu.

Wiedział, że ocalił życie, lecz wciąż, gdy zasypiał w kokpicie, nie potrafił zwalczyć ogarniającego go smutku. Męczył go co noc ten sam sen. Dziewczyna odwraca się w jego stronę. Promienie słońca lśnią na jej hełmie. Świetlny refleks przesuwa się. Jest pewny, że się do niego uśmiecha, przcz tę krótką chwilę wie o jego istnieniu, a potem znika w stalowym brzuchu swojego statku. Hank chce ją zawołać, pobiec do niej, zatrzymać, ale nie może, jest bezsilny i nie zna nawet jej imienia.

Zadomowił się szybko. Jedzenie gotował na zewnątrz, na elektrycznej kuchence, którą podłączył do akumulatorów statku. Najczęściej była to fasolka w sosie pomidorowym zmieszana z jedną z konserw. Czasem na śniadanie zjadał trochę kandyzowanych owoców i brał zestaw witamin. Skrzynek z żywnością było bardzo mało. Dermann wiedział, że lada dzień będzie musiał wyjść poza pole siłowe i poszukać czegoś nadającego się do jedzenia. W końcu był skazany na tę planetę do końca swych dni. Musiał się do niej powoli przyzwyczajać.

Kolejne dni utwierdziły go w przekonaniu, że wylądował w raju. Był pewien, że nic mu nie grozi. Miał jedynie nadzieję, że ta, o której śnił, miała równie dużo szczęścia co on.

To był jego drugi rekonesans. Odszedł dość daleko od obozu. Opłaciło się, natrafił na rzekę z wodą zdatną do picia. Skręcała w stronę pagórka, na którym wylądował. Nie zastanawiając się, poszedł wzdłuż nurtu, przeskakiwał powalone pnie i rozlewiska. To, co zobaczył, zaparło mu dech w piersiach. Rzeka raptownie kończyła swój bieg, spadała gwałtownie z urwiska w wodną nieckę. Hank, patrząc z góry, nie dał się długo kusić krystalicznie czystej tafli jeziora. Zeskoczył wprost ze skarpy, zanurzając się cały w chłodnej wodzie. Wypłynął na powierzchnię, parskając z radości. Zauważył, że wokół brzegu rosły owocowe drzewa, a mała polanka nadawała się doskonale na przeniesienie obozowiska.

Gdy próbował ponownie zanurkować, głośny huk rozdarł powietrze, płosząc ptaki, które poderwały się gwałtownie do panicznego lotu. Dermann zadarł głowę do góry. Na niebie przesunął się cień. Jeden, potem drugi, a potem kolejne. Błyskawicznie wyskoczył z wody i co sił w nogach pobiegł w stronę dżungli. Wiedział, że wszystkie cienie zmierzały wprost w stronę pagórka, na którym kilka tygodni wcześniej wylądował.

Biegł, dopóki starczyło mu tchu. Zatrzymał się dopiero na skraju polany. Obserwował wszystko z ukrycia. Statki lądowały jeden po drugim, w końcu zastygły, a ich kadłuby zalśniły wyczekująco w promieniach nieznanego słońca. Luki otworzyły się nieśmiało, przygniatając trawę i niskie krzewy. Z wnętrza molochów wysypało się mrowie ruchliwych punkcików. Po chwili do ludzi dołączyły maszyny.

Hank miał wrażenie, że śni. To wyglądało jak sen. Ruchliwe postaci uwijały się jak mrówki. Od razu przystąpiły do mierzenia, instalowania, wiercenia i kopania. Jak na przyspieszonym filmie, niczym grzyby po deszczu rosły lśniące budynki, napuchnięte kopuły, szklane i metalowe szkielety. Buldożery wgryzały się w trawę, długie szpikulce zanurzały w ziemię, pompując beton głęboko, przygotowując na przyszłość jeden poziom za drugim.

Dermannowi zrobiło się niedobrze. Nie było sensu się ukrywać. Podniósł dłoń do oczu, osłaniając je przed palącymi promieniami słońca. Ruszył wolnym krokiem w stronę wzgórza. Nie czekał długo na reakcję. Jeden z punktów oderwał się od pracujących maszyn i ludzi. Pojazd zjechał w dół na spotkanie. Hank rozpoznał z daleka człowieka siedzącego za kierownicą. Tak naprawdę rozpoznał jego krawat.

Usiedli na zewnątrz, przy stole Hanka. Maszyny odjechały w głąb dżungli, więc spokojnie mogli porozmawiać. Dermann nie potrafił oderwać wzroku od krawatu mężczyzny.

– Czy ty nigdy niczego innego nie nosisz? – zapytał, przerywając bardzo długą chwilę niezręcznej ciszy.

– Nie. – Mężczyzna uśmiechnął się. – Przynosi mi szczęście.

– Szczęście – powtórzył jak echo Hank. – O co chodzi z tym waszym szczęściem? Wszystko zaplanowaliście?

– Nikt nie gwarantował sukcesu, ale na taki obrót sprawy liczyliśmy. – Mężczyzna wciąż się uśmiechał. – Osobiście na ciebie stawiałem.

– To pocieszające. – Hank popatrzył w stronę dżungli. – Daleko na horyzoncie poderwały się chmary ptaków. Widocznie maszyny zdążyły zawędrować nawet tam. – Tak naprawdę wysłaliście nas, nie dbając o to, co się z nami stanie. Za nic macie życie ludzi.

– Wręcz przeciwnie – tajniak mówił spokojnie. Nie chciał wytrącić Dermanna z równowagi. – Zależy nam na losie ludzi. To była ostatnia szansa dla całej Ziemi. Jeszcze kilka lat i pęklibyśmy jak mydlana bańka. Musieliśmy rozładować całe to napięcie. Rozbroić tykającą bombę zegarową. Dzięki prawu szczęściarza uda nam się to już teraz!

– Prawo szczęściarza?

– Hank, nigdy nie wierzyłeś w swoje szczęście. – Mężczyzna nachylił się w stronę Dermanna. Zmusił go, żeby ten popatrzył mu prosto w oczy. – A każdy ci to powtarzał niezliczoną ilość razy. Gdybyś tylko o tym wiedział, podbiłbyś cały świat. Teraz ja też to powtórzę. Jesteś w czepku urodzony! Wśród tylu miliardów ludzi odnaleźliśmy dziesięciu, którzy zawsze mieli niewiarygodne szczęście. Wbrew regułom, zdrowemu rozsądkowi i prawdopodobieństwu. Odnaleźliśmy nie tych z fartem, chwilowym uśmiechem fortuny, ale tych, którzy ze szczęściem się urodzili, których nigdy ono nie opuści.

– Ja do nich należę? – Hank pokręcił głową, wciąż miał wątpliwości, choć wiedział, że nie powinien ich mieć. To, że siedział tutaj cały i zdrowy, było tego najlepszym przykładem.

– W sumie – tajniak zawahał się – jesteś jedynym. Innym się nie udało...

Hank czuł, jak serce w nim zamiera. Zacisnął pięści. Teraz to on zmusił swojego rozmówcę, żeby ten popatrzył w jego oczy.

– Kto dał wam prawo? – syknął przez zaciśnięte zęby.

– Życie – mężczyzna odpowiedział opanowanym, lodowatym głosem. – Musieliśmy tak zrobić. Inaczej uśmiercilibyśmy miliardy. Ekspedycje wysyłane w kosmos na poszukiwanie planet ginęły bez wieści. Nic nie odnaleźliśmy. Byliśmy zmuszeni do poszukania innego, niekonwencjonalnego sposobu. Potrzebowaliśmy łutu szczęścia, a właściwie... szczęściarza. Nie mogłeś być tego świadomy, bo wtedy reguły gry byłyby zachwiane.

– Sfabrykowaliście wszystkie dowody. Wygrana na loterii, mój udział w zabójstwie Tobolskiego, zamieniliście moje życie w piekło! Co ja mówię – Hank nie panował nad swoim głosem – ja już nie mam swojego życia!

– Nie rozczulaj się nad sobą. – Tajniak uderzył pięścią w stół. – Żyjesz. Damy ci rekompensatę. Na loterii przecież naprawdę wygrałeś. Pieniądze są twoje. Ze śmiercią Tobolskiego, jak zauważyłeś, nie masz nic wspólnego. Zresztą sam ci o tym powie.

– Powie? – Dermann oderwał wzrok od czerwonego krawatu, w który wciąż mimowolnie się wpatrywał. Dopiero teraz zauważył, że Tobolski stał kilka kroków od nich. Najwyraźniej bał się podejść.

– Nie miałem wyboru, Hank. – Mati czochrał się po grzywie, próbując ukryć zakłopotanie. – Zaszantażowali mnie. Miałem w odwodzie już tylko jedno spóźnienie. W każdej chwili mogli mnie wylać! Na pewno by tak zrobili, przecież wiesz, że ja sobie lubię pospać!

Hank opadł z sił. Oparł czoło na blacie stołu i zamknął oczy. Miał już dość tej rozmowy i planety, która z każdą chwilą coraz bardziej przypominała mu betonową, pozbawioną życia Ziemię.

– Teraz pozwolą nam się tutaj osiedlić – ciągnął grubas. – Dostanę nawet jakąś lekką robótkę. Może będziemy sąsiadami? Obiecali nam duże apartamenty, to nie to samo co te klitki na Ziemi. Zobaczysz, będzie dobrze!

– Ja nie chcę – powiedział cicho Hank.

– Co nie chcesz? – zapytał równie cicho tajniak.

– Nie chcę być tutaj...

– Chcesz wrócić na Ziemię? – w głosie mężczyzny można było wyczuć wyraźnie zdziwienie.

– No coś ty, Hank! Nie bądź głupi... – wyrwał się Tobolski.

– Nie chcę być ani tu, ani na Ziemi – odpowiedział Hank. Podniósł głowę i spojrzał na tajniaka.

– To gdzie? – zaśmiał się Tobolski, a po chwili, gdy zrozumiał, ryknął. – Czyś ty zwariował, Hank?

– Możesz jeszcze się rozmyślić. – Tajniak patrzył na niego niemal z podziwem. Dziwny cień pojawił się na jego czole. – Mamy ci dużo do zawdzięczenia. Jak chcesz, damy ci to jeziorko, które odkryłeś. Odgrodzimy cię od reszty świata. Będziesz się czuł tak, jakby nikogo nie było na tej planecie oprócz ciebie.

– Już się zdecydowałem. – Hank nałożył hełm. Zatrzaski kliknęły złowróżbnie.

– Wiesz, że twoje szanse zmalały teraz do zera? – tajniak nie dawał za wygraną. Jesteś szczęściarzem, może największym na świecie, ale teraz ci się już nie uda! Zginiesz. Drugi raz takiego szczęścia mieć nie będziesz!

– Zobaczymy. – Hank poczuł dziwny dreszcz. Czyżby przeczuwał, że mężczyzna ma rację? – Muszę to sprawdzić. Powiedziałeś, że nigdy nie ufałem swojemu szczęściu, teraz postanowiłem to zmienić.

– Uparłeś się, Dermann. – Tajniak uśmiechnął się wreszcie. – Ale może to dla ciebie lepiej? Kto wie co się może zdarzyć.

– Obiecałeś, że tym razem na statku nie będzie urządzeń namierzających.

– I nie ma. Ale co, jeśli będziesz potrzebował pomocy? Przecież lepiej, żebyśmy mieli z tobą łączność...

– Zapomnij – powiedział ostro Hank. – Nie chcę mieć z wami nic do czynienia. Nie chcę być więcej manipulowany!

– W porządku – powiedział raptownie tajniak. – Będzie tak, jak chcesz. Masz moje słowo.

Hank zobaczył, jak mężczyzna sięga do krawata i go zdejmuje.

– To dla ciebie, Hank – powiedział i włożył krawat do kieszeni skafandra Dermanna. – Na szczęście.

– Przecież to twój krawat.

– Był mój. – Tajniak uśmiechnął się. – Dostałem go kiedyś od szczęściarza, takiego jak ty. Spełnił już swoje zadanie, teraz ty bardziej go potrzebujesz.

– Dziękuję – powiedział Hank, nic innego nie przyszło mu do głowy.

– Nie życzę powodzenia, żeby nie zapeszyć. – Tajniak znów się uśmiechnął. Popatrzył na Dermanna, a potem odwrócił się i opuścił kabinę pilota.

Kilka chwil później silniki statku ożyły. Kadłub przeszyły znajome dreszcze i w końcu ciężki pojazd oderwał się od lądowiska, kierując się w przestrzeń kosmiczną.

Podróż do punktu X trwała zaledwie kilka dni. Hank znów znalazł się w miejscu, w którym miał dokonać wyboru. Statek leniwie dryfował pośród miliardów jasnych punkcików, czekając na jego decyzję. Dermann uśmiechnął się. Dlaczego znów podjął ryzyko? Tym razem na własne życzenie. Czyżby był aż tak głupi? A może po prostu był samobójcą, zasmakował w ryzyku, w adrenalinie?

Nie. Jeszcze nie zwariował. Po prostu musiał coś sobie udowodnić. Na przekór losowi pokazać, że ma kontrolę nad swoim życiem. Wreszcie było go stać na podjęcie męskiej decyzji. Bez względu na to, jaki koniec go czeka, będzie wiedział, że nie dał się ugiąć. Że nie udało im się go złamać, sprawić, by mówił i robił to, co mu każą.

Spojrzał na ekran monitora, na tysiące koordynatów przesuwających się długimi liniami, jedne obok drugich.

Wiedział, że postąpi tak jak ostatnio. Wybrał bez zastanowienia kierunek. Usiadł wygodnie w fotelu i zapiął pasy.

Lądowanie poszło gładko. Dermann stał przy śluzie, oczekując na opuszczenie włazu. Działał jak we śnie, poruszał się jak automat. Słońce oślepiło go tylko na chwilę. Zmrużył oczy, schodząc po rampie w dół, w głęboką trawę.

Komputer pokładowy przekazał mu chwilę wcześniej informację, że pod nimi znajdują się szczątki jakiejś maszyny. Hank wiedział, że musi je obejrzeć.

Teraz stał naprzeciwko nich. Nie zdążyły jeszcze obrosnąć mchem i pnączami. Była to sterta żelastwa, rozprutego, zupełnie nienadającego się do użytku. Statek nie zdążył nawet wysłać sygnału do bazy o odnalezieniu planety. Spłonął doszczętnie. Urwane skrzydło wystawało jak maszt ponad spaloną ziemią. Pod butami Hanka wzbijał się tuman popiołu, z którego wychodziły źdźbła młodej trawy.

Tej katastrofy nikt nie mógł przeżyć. Nie miał na to najmniejszych szans. Zabrakło mu szczęścia, mimo że był tak blisko celu.

Hank odwrócił się od zgliszczy, popatrzył w stronę lasu. Był pewien, że ktoś stoi w cieniu wysokich, rozłożystych drzew.

Nie mylił się.

Gdy wyszła z lasu, nawet się nie zdziwił. To wciąż mógł być sen. Wszystko wydawało się tak nierealne. Poruszała się zwiewnie, bose stopy stawiała na mokrej od rosy trawie. Jej brązowa skóra lśniła, jakby emanowała własnym blaskiem. Uśmiechała się do niego tak samo jak wtedy, gdy widział ją po raz ostatni. Tak samo jak w jego snach.

Nawet nie zauważył, kiedy zaczął biec. Odrzucił hełm. Wiatr rozwiał mu włosy.

Ona też biegła, wyciągając ręce na jego przywitanie.

Hank wiedział, że tak naprawdę cały czas jej szukał. A gdy ją pocałował, poznał wreszcie prawdziwą definicję szczęścia. Zrozumiał, że szczęście może mieć jedynie miętowy smak jej ust.

Strzelin – Londyn, październik 2005

Produkt uboczny

Jason? – Bart Tondrak, kierownik sekcji czwartej pionu administracyjnego, zamachał rozpaczliwie gazetą, starając się przyciągnąć jego uwagę. Willis nie mógł udawać, że go nie zauważył. Było na to za późno. Z wymuszonym uśmiechem odsunął się od windy i wyciągnął dłoń na przywitanie. Wiedział, że Tondrak będzie od jutra jego najbliższym współpracownikiem, tym bardziej nie mógł go ignorować.

– Dobrze, że cię złapałem, Jason! – Bart wymienił wilgotny uścisk i ujął Willisa pod ramię. – Ostatnio dużo się o tobie mówi na naszym piętrze! Nie ma co. Kariera jak żadna inna! Ptaszki śpiewają, że jak tak dalej pójdzie, to niedługo będziesz nowym wspólnikiem?

Willis nie przestawał się uśmiechać. Zastanawiał się, czy teraz powinien udawać zaskoczenie, czy oburzenie. W sumie nie był pewien, czy Tondrak oczekuje od niego odpowiedzi na postawione w ten sposób pytanie.

– Przecież dobrze wiesz, Bart, że wszystkie ptaszki wymarły osiemdziesiąt lat temu! – powiedział, siląc się na powagę. Wyciągnął ramię z uścisku. – A te latające klony nigdy nie będą śpiewać jak one. Zawsze wyczuje się w ich głosie fałszywą nutę.

– No co ty? – Tondrak zająknął się. Popatrzył na Jasona, nie wiedząc, czy ten sobie z niego nie kpi. – Przecież klony to klony... Nie odróżnisz. To doskonałe kopie. Sami wprowadzamy je na rynek!

– No właśnie – zakpił Willis, patrząc niecierpliwie w stronę windy. Jak na złość żadna nie chciała podjechać. Żałował, że zaczął rozmowę w ten sposób. Najwyraźniej to, co mówili o Tondraku, było prawdą. Facet był kompletnym idiotą, a w dodatku służbistą. Na takich jak on należało uważać. Nigdy nie było wiadomo, co przekazywał szefom w administracyjnych raportach.

– Ja właściwie nie o tym. – Tondrak potrząsnął głową, jakby odganiał natrętną muchę. – Chciałem ci przekazać, że twój nowy gabinet jest już przyszykowany. Dostałem zlecenie z góry. Powinieneś być zadowolony...

– Świetnie. – Jason uniósł do góry kąciki ust, siląc się na kolejny uśmiech.

– Przejmiesz go od jutra?

– Tak. – Willis zastanowił się. – Najlepiej, jeśli oficjalnie przejmę obowiązki od jutra. Dopiero przed chwilą otrzymałem nominację.

– Wiem. – Bart puścił do niego konspiracyjnie oko. – Gratuluję. Generalny dyrektor marketingu! Należało ci się! Szefie!

– Dziękuję – odpowiedział Jason. Przyjął ponownie wilgotną prawicę Tondraka. Oparł się chęci wytarcia dłoni w garnitur. – Muszę lecieć. Mam ważne spotkanie.

– Rozumiem! – Bart uśmiechnął się szeroko, ukazując pożółkłe od kawy i papierosów zęby. – Jeszcze raz gratuluję! Do zobaczenia jutro!

Jason skinął głową w podziękowaniu i wszedł do windy, która wreszcie zatrzymała się na jego piętrze. Zanim drzwi się zamknęły, zobaczył jeszcze, jak Bart podnosi kciuk do góry. Z trudem odpowiedział mu tym samym gestem.

Wysiadł z taksówki przy drugiej przecznicy. Do spotkania z Elisabeth miał jeszcze kwadrans. Postanowił, że resztę drogi do restauracji pokona pieszo. Wydarzenia dzisiejszego dnia potoczyły się zbyt szybko, nawet jak dla niego. Musiał trochę ochłonąć. Czuł, że płoną mu policzki i uszy. Nie mógł się doczekać momentu, w którym przekaże Elisabeth nowiny. Wyobrażał sobie jej zaskoczoną minę. Wiedziała, że bardzo zależało mu na tej cholernej nominacji. Przecież czekał na nią pięć lat!

Siąpił drobny, kłujący deszcz. Jason postawił wyżej kołnierz, usiłując powstrzymać chłód, który wdzierał się pod materiał płaszcza. Rozejrzał się. Musiał przejść na drugą stronę ulicy. Wszedł na pasy, przyspieszając kroku. Ogromną kałużę przy krawężniku zauważył w ostatniej chwili. Przeskoczył ją rozpaczliwym susem, mało brakowało, a przewróciłby opuszczającego właśnie kiosk z gazetami człowieka. Potrącił go łokciem, próbując utrzymać równowagę. Mężczyzna coś syknął przez zęby, uskoczył w bok i zanim Jason zdążył go przeprosić, znikł za rogiem. Willis nie widział jego twarzy. Prawdę mówiąc, jedyne, co zdążył dostrzec, to żółty, wściekle żółty kapelusz.

Willis oparł się o latarnię i zlustrował ochlapaną błotem nogawkę. Wyciągnął chusteczkę z kieszeni płaszcza, przetarł nią zabrudzony materiał. Zaklął. Znów będzie musiał oddać garnitur do pralni. Choć z drugiej strony nie było czym się przejmować, uśmiechnął się. Teraz, gdy mianowali go dyrektorem generalnym, będzie musiał kupić kilka nowych. Przyda się też jakiś smoking. W najbliższym czasie Global Genetics szykował bankiet z okazji wprowadzenia zaawansowanej technologii na rynek.

Dźwięk sklepowego dzwonka wyrwał go z przyziemnych rozważań. Jason spojrzał w stronę drzwi. Z kiosku wyszła kolejna osoba. Uśmiechała się do niego. Odwzajemnił uśmiech. Zawsze gdy widział Elisabeth, działo się z nim coś niezwykłego. Jakby nagle pękała jakaś tama, tłumione uczucia brały górę. Przychodził spokój, przyjemny dreszcz, rozlewające się po całym ciele ciepło. Wystarczał jej drobny gest, poruszenie, zapach. Jason wiedział, że każdy z tych szczegółów wyrył w pamięci tak mocno, że nie zapomni go nigdy. Elisabeth zawsze będzie częścią jego samego.

– Niezdaro, jak zwykle myślisz o niebieskich migdałach! Pewnie nie zgadnę, jak ta szczęściara ma na imię? – Elisabeth położyła dłonie na biodrach i pokręciła głową z groźną miną. Musiała widzieć jego niefortunne zderzenie. Nie potrafiła stłumić śmiechu. Pełne, czerwone wargi rozchyliły się, ukazując białe, drobne ząbki.

Jason wstrzymał oddech. Chłonął jej postać wzrokiem. Teraz był w stanie myśleć tylko o smaku jej karmi-
nowej szminki, zgrabnych nogach ukrytych pod długim,
równie czerwonym jak usta płaszczem i migdałowym
zapachu włosów.

Podszedł do niej bez słowa. Ujął jej dłonie w swoje
i pocałował ją w usta. Mocno, czule, tak jak robił to zawsze, gdy byli sami. Nie broniła się. Poczuł ciepło i smak
jej ust. Przylgnęła do niego całym ciałem.

– Jason, wystarczy. – Zaśmiała się, próbując uwolnić
się z jego uścisku. Odchyliła głowę do tyłu, usiłując ratować swój kapelusz przed zgnieceniem.

– Kocham cię, Elisabeth – powiedział, patrząc jej głęboko w oczy. – Wiesz o tym?

– Ja też cię kocham, wariacie! – Elisabeth dotknęła
palcami jego ust. Przesunęła po nich delikatnie ciepły-
mi opuszkami. Jason lubił, gdy tak robiła. To był ich tajemny sygnał. – Na wszystko przyjdzie czas. Wieczór jest
długi, a ty obiecałeś mi wytworną kolację! Nie dam ci się
tak łatwo wymigać!

– Dobrze. – Jason pozwolił Elisabeth ująć się pod ramię. Zaśmiał się. – Stolik na nas czeka. Wytworna kolacja dla wytwornej damy.

– Nie żartuj sobie! – Pocałowała go w policzek i przy-
tuliła się do jego boku.

– Nie żartuję – powiedział Jason. Elisabeth była wy-
jątkowa. Wiedział o tym. Czuł się przy niej najszczęśliw-
szym człowiekiem na Ziemi. – Chodźmy!

Dzwonek sklepowy znów wydał dziwny, metaliczny
dźwięk. Jason odwrócił się odruchowo, nie przestając się
uśmiechać. W świetle dochodzącym z wystawy zobaczył

niskiego mężczyznę. Trzymał w dłoniach rozłożoną gazetę. Willis wyraźnie dostrzegł zwrócony w jego stronę nagłówek artykułu i zdjęcie zajmujące pół strony. Odczuł niepokój. Ta twarz z gazety. Widział ją kilka dni temu, był tego pewien. Znał ją. Nie z prasy czy telewizji. Na jego biurko przez pomyłkę zawędrował projekt z Departamentu Wdrożeń. Zdążył rzucić na niego okiem, zanim z pośpiechem mu go zabrali. Tam była twarz tego człowieka. Nowy Przewodniczący Senatu obejmował dziś swoją funkcję. Willis czuł, że oblewa go zimny pot. W ułamku sekundy dotarły do niego obrazy innych wydarzeń, których był przypadkowym świadkiem. Strzępy rozmów, analizy, które trafiały na jego biurko. Informacje, które znalazł na dysku firmowym, a do których nigdy później nie potrafił ponownie dotrzeć. Jak mógł o tym zapomnieć? Jak mógł wcześniej tego nie zauważyć?

– Idziemy? – Elisabeth delikatnie pociągnęła go za ramię. – Coś się stało?

Nie zdążył odpowiedzieć. Zza rogu z piskiem opon wypadł samochód. Światła oślepiły ich, wwierciły się w mózg, paraliżując ruchy. Widział niby we śnie, jak wóz z ogromną siłą uderza w krawężnik i zostaje podbity do góry niczym gumowa piłka. Maska starego forda pick-upa uniosła się dostojnie, jak dziób startującego samolotu. Rozpędzona kupa żelastwa zbliżyła się z zastygającym w powietrzu warkotem silnika. Jason usłyszał stłumiony krzyk Elisabeth. Ogromna siła wyrwała mu ją z ramion. Wciąż nie przestawał się dziwić, gdy z płuc wypompowało mu całe powietrze, klatka piersiowa zapadła się do wewnątrz, a lampa, o którą chwilę wcześniej się opierał, zmiażdżyła mu kręgosłup. Jedyne, czego mógł być wtedy pewien, to fakt, że kierowca miał na głowie żółty kapelusz, a zapach migdałów jest najsłodszym zapachem na Ziemi.

Jason obudził się z piekielnym bólem głowy. W pokoju było duszno. Opuszczone żaluzje przepuszczały nikłe promienie światła. Nie pamiętał, żeby na noc zasłaniał okna. Nigdy tego nie robił. Łóżko miał ustawione tak, żeby rano budziło go słońce.

Opuścił nogi na dywan i przeciągnął się. Bolały go wszystkie mięśnie, jakby cały poprzedni dzień spędził na siłowni. Musiał źle spać. To wszystko przez niewygodny materac, pomyślał. Wypadałoby go wymienić.

Spojrzał na zegarek i poderwał się jak oparzony. Zaspał. Powinien być już w drodze do pracy. Spóźni się. Pierwszy dzień jako generalny dyrektor marketingu i taka plama? Przez pięć lat pracy przyjeżdżał do firmy przynajmniej piętnaście minut przed innymi, a teraz będzie miał co najmniej godzinę opóźnienia! Co pomyślą ludzie? Pewnie już korytarze huczą od plotek. Willis niemal słyszał w głowie rozmowy tych najbardziej mu życzliwych; jak się liczyło na awans, to był sumienny, teraz dochrapał się swojego i odpuścił! A może, myślał, próbując gorączkowo założyć spodnie, może pomyślą, że przesadził ze świętowaniem. Zakrapiany wieczór z przyjaciółmi, za dużo alkoholu. Tak, tej wersji powinien się trzymać, nawet gdyby pytało go o to szefostwo. Zresztą w ogóle nie pamiętał wczorajszego wieczoru. Może rzeczywiście zapił się na śmierć? Któryś ze znajomych mógł przywieźć go nad ranem do domu. Pewnie wsadzili go do łóżka i zostawili. To by tłumaczyło te opuszczone zasłony. Tak, na pewno ktoś był w jego pokoju.

Kiedy próbował przemyć twarz, ostatnia wersja wydarzeń nie wydawała mu się już tak bardzo prawdopodobna. Przecież on nie miał przyjaciół. Nie kolegował się z nikim w pracy, a na znajomości poza firmą po prostu nie miał czasu. Spojrzał w lustro. Zamyślił się. Odkąd pamiętał, był na świecie sam. Samotny jak palec. Dopiero teraz dotarło do niego, że jest mu z tym źle. Poczuł niezrozumiałą tęsknotę za czymś, czego nigdy nie miał.

Motywacja? W takiej firmie można piąć się szczebel po szczeblu, można samemu doświadczyć spełnienia pięknego amerykańskiego snu. Jason przekroczył połowę drogi na sam szczyt. Połowę drogi do sławy i wielkich pieniędzy. Już niemal czuł, jak ociera się o grono elity, tajemny, zamknięty krąg żyjący niemal w innym, bajkowym wymiarze.

Mógł być z siebie dumny. Ze swojego uporu, determinacji. Wreszcie pokonał ten próg, barierę, która jeszcze kilka miesięcy temu wydawała się nie do przejścia. Wkroczył do wąskiego grona, o którym inni mogli tylko marzyć, i momentalnie to odczuł. Dotąd stanowił zaledwie mały trybik w ogromnej machinie, której zasad działania nie potrafił ogarnąć. Teraz to on odgrywał ważną, decydującą rolę w sprawach, od których zależała przyszłość tego globu. Jason odnalazł sens życia. Pięć lat temu sprzedał dla tej firmy duszę. Przynajmniej dzisiaj był pewien, że było warto.

Zapadł w miękki skórzany fotel, chłonąc całym sobą zapach wnętrza limuzyny. Kierowca czekał na niego przed domem. Zaparkował na chodniku, tarasując niemal całkowicie przejście. Jason w pierwszej chwili chciał go ominąć. Wypadł pędem z mieszkania z nadzieją, że uda mu się złapać jakąś taksówkę. Zareagował dopiero na swoje nazwisko. Kierowca otworzył mu drzwi, zapraszając do środka.

Willis zupełnie zapomniał o korzyściach płynących z awansu. Dyrektor marketingu miał zapewniony stały środek lokomocji. Własny kierowca, nowe biuro i zupełnie nowe życie. Przecież tego oczekiwał, czyżby zapomniał?

Obrazy za oknem były rozmazane, dziwne, ludzie poruszali się apatycznie, jakby bez celu. Z głośników sączyły się łagodne dźwięki muzyki klasycznej. Jason oparł dłonie na miękkim materiale. Wzdłuż kręgosłupa przeszły go gwałtowne dreszcze. Odbierane wrażenia były intensywne, opuszki palców wrażliwe, wyczuwały każdy szczegół, nierówność, przesyłając błyskawicznie informacje do mózgu. Tak jakby wszystko rejestrował po raz pierwszy, jakby po raz pierwszy czuł dominujący cierpki smak w ustach.

Od intensywnego światła bolały go oczy, musiał je mrużyć, by pozbyć się cienistych refleksów na siatkówce. Ciało było nienaturalnie zesztywniałe. Wcześniej w pośpiechu nie zwrócił nawet na to uwagi. Musiał wyprostować plecy, by naciągnąć ścięgna i mięśnie. Poddawały się tym zabiegom z trudem. W kręgosłupie Jasona coś chrupnęło. Roztarł dłonie, próbując przywrócić im krążenie. Musiał naprawdę źle spać. Powinien jak najszybciej wyrzucić stary materac i kupić nowy. Niedawno skończył trzydzieści lat, a czuł się już jak zgrzybiały starzec.

– Czy my dobrze jedziemy? – Willis wyjrzał ponownie przez okno. Nie rozpoznawał tej części miasta. Dałby głowę, że niektóre budynki widzi po raz pierwszy w życiu.

– To najkrótsza droga do Global Genetics. – Kierowca przelotnie popatrzył na jego odbicie w lusterku.

– No tak... – Jason jeszcze raz przyjrzał się obrazom przemykającym za oknem. Rzeczywiście, jechali główną drogą do centrum. Teraz sobie ją przypomniał. Gigantyczny dom handlowy po lewej, za nim park z laserową fontanną. Często tam chodził, siadał na ławce... Sam? Chodził tam sam?

Samochód zatrzymał się na światłach. Jason spojrzał w stronę wąskich alejek i placyku z wypielęgnowanymi krzewami. Zebrała się tam spora grupka demonstrantów. Coś wykrzykiwali. Chodzili w kółko z chorągiewkami i kolorowymi transparentami. Klika haseł było szczególnie widocznych, jak choćby „Koniec z terroryzmem", „Pokój na świecie". Najbardziej poruszające było jednak to trzymane przez małą dziewczynkę – „Nie chcę, żeby Wirus P znów zabił wszystkie zwierzątka!".

To już osiemdziesiąt lat, pomyślał. Osiemdziesiąt lat temu Wirus P został rozprzestrzeniony przez terrorystów w największych miastach Ameryki i stolicach europejskich. Skutki jego działania momentalnie objęły cały glob. Najprawdopodobniej efekt przeszedł nawet oczekiwania jego twórców. Wirus zaatakował wszystkie zwierzęta, owady i rośliny, przedziwnym sposobem omijając człowieka. Globalna wojna z terroryzmem trwała zaledwie kilka miesięcy. Sprawców nie odnaleziono, a świat szybko zrozumiał, że największym zagrożeniem dla ludzkości stał się głód. Powszechny, obejmujący każdy zakątek globu głód.

Willis zamyślił się. Widział, że zgromadzeniu przypatrywało się kilka samotnych ptaków siedzących na fontannie. One mogłyby mieć w tej sprawie najwięcej do powiedzenia. W końcu wszystkie pochodziły z laboratorium Global Genetics.

Samochód znów ruszył. Jason przymknął oczy, ból głowy powrócił. Rwący, pojawiał się falami. Klatka po klatce nachodziły na siebie obrazy, czyjaś twarz, grupa ludzi w maskach, światła samochodu, ostre, wwiercające się w mózg, wypalające oczy. Jason poczuł mdłości. Smak w ustach się zmienił. Czy jadł migdały? Wczoraj jadł migdały? Czuł nawet ich zapach, wszędzie. Przesiąkło nim ubranie, skórzany fotel, skóra dłoni. Niemal widział go, gęstniał, stawał się jeszcze bardziej intensywny.

– Proszę uchylić okno! – wydusił z siebie. Próbował bezskutecznie poluźnić węzeł krawatu. – Niech pan wyłączy klimatyzację, potrzebuję świeżego powietrza!

Jason widział, że kierowca nie spuszcza z niego badawczego spojrzenia. Cały czas obserwował go w tym cholernym lusterku. Nieruchome spojrzenie rejestrujące każdy jego ruch. Mężczyzna nie odezwał się. Wykonał jednak polecenie. Szyba powędrowała w dół. Do wnętrza limuzyny dostał się hałas z ulicy. Metropolia obudziła się, tętniła życiem, zupełnie tak jak stworzony w laboratorium sztuczny organizm.

Dźwig windy parkingowej wyciągnął ich w górę, ustawiając w wydzielonej strefie na szczycie budynku. Stało tu kilka innych limuzyn, należały do prezesów i zarządu Global Genetics. Jason znalazł się tu pierwszy raz.

Z ulgą wysiadł z samochodu. Nawet nie obejrzał się za siebie. Czuł palące spojrzenie kierowcy na plecach, ale zignorował je. Chciał jak najszybciej znaleźć się w swoim biurze.

– Jason?

Znając swoje szczęście, Willis mógł się spodziewać, że pierwszą osobą, na którą trafi po przyjściu do pracy, będzie Bart Tondrak.

– Bart? – modulując głos, zapytał podobnym tonem.

– Heh. – Tondrak potoczył się w stronę Jasona, wyciągając go niemal na siłę z windy. – Już myślałem, że dzisiaj nie przyjedziesz! Co prawda szefostwo przekazało mi informację o twojej delegacji, ale spodziewałem się, że wrócisz wcześniej...

– Świętowałem... wczoraj... – zaczął Willis z rozpędu. Najwyraźniej nie obmyślił najlepiej wymówki. – Ale jak widzisz, już jestem, o co chodzi?

– Świętowałeś? – Bart zmarszczył czoło. Pchnął go korytarzem wzdłuż boksów pracowniczych. Gwar rozmów toczących się tutaj chwilę wcześniej raptownie umilkł. Ciekawskie spojrzenia otoczyły Jasona ze wszystkich stron. – Nie miałeś na to czasu wcześniej?

– Wcześniej? Kiedy? – Jason podejrzliwie rozejrzał się wokół siebie. Jak na komendę, zatrzymana w miejscu

klatka filmu znów została puszczona w ruch. Zaszeleś-
ciły tony biurowego papieru. Wąskimi korytarzami ruszyli księgowi, asystenci księgowych i asystenci asystentów księgowych. Nie znał żadnego z nich. Czuł się tak,
jakby ktoś przerzucił go nagle na obcą planetę.

– No, nie sądzę, żebyś nie miał czasu opić tego na
Satelicie. – Asystent dobrotliwie pokręcił głową. Mówił
ściszonym głosem, jakby chciał utrzymać wrażenie pełnej konspiracji. – Podobno mają tam niezłe lokale. Rozumiem, że delegacja była formą bonusu od firmy, ale żeby
aż tak sobie pofolgować? No, no?

– Satelita? – Jason zaśmiał się nerwowo. Chłopaki postanowili sobie zakpić z nowego dyrektora? Taka inicja-
cja na nowym stanowisku? Zapewne widzieli, że przesadził wczoraj z alkoholem, ale pomylili się, nie będą mu
w stanie wszystkiego wmówić. – Dobre, Bart. Naprawdę! – Klepnął współpracownika w plecy.

– Zostawiłeś nas z robotą na cały tydzień. – Tondrak
spojrzał na niego z wyrzutem. – Będziemy musieli teraz
wszystko nadgonić!

Jason milczał. Uśmiechał się głupkowato. Bart był
przekonywający. Nawet bardzo. Minął się z powołaniem,
powinien był zostać zawodowym aktorem. Teraz jednak
delikatnie zaczynał przeciągać strunę.

– Musimy dzisiaj podjąć kilka ważnych decyzji. –
Tondrak najwyraźniej nie zauważył lub nie chciał zauważyć zmiany na twarzy nowego szefa. Zatrzymał się
przed szklanymi drzwiami, na których zdążyły pojawić
się wypisane pochyłą czcionką imię i nazwisko Willisa
oraz funkcja, którą od niedawna zaczął pełnić.

– To moje biuro? – zapytał Jason.

– Tak! – Bart niecierpliwie wzruszył ramionami, jakby miał do czynienia z idiotą. – Pokój dyrektora Jasona
Willisa. To chyba ty?

– Bart – głos Jasona stał się lodowaty – wracając do
twojego pierwszego pytania, czy dajesz mi do zrozumienia, że nie potrafisz sobie poradzić z zespołem podczas
mojej nieobecności?

– Ja... – Szczęka Tondraka opadła niebezpiecznie nisko. – Po prostu... są pewne sprawy, które...

– Które wymagają decyzji – dokończył Jason. – Mo-
ich decyzji, nie naszych, Bart. A jedna z pierwszych będzie najprawdopodobniej dotyczyła twojej osoby!

Willis nacisnął klamkę u drzwi, przy których stali,
minął zaskoczonego Tondraka i zamknął się w swoim
nowym gabinecie.

Biuro pachniało nowością. Nie farbą, tanimi środkami
czystości i pudełkami zapachowymi jak jego poprzednie
miejsce pracy. Tutaj w powietrzu unosił się zapach mebli,
mahoniu, skóry. Jason dałby głowę, że czuje także sub-
telny zapach pieniędzy. Miliardów kredytów, które prze-
winą się w najbliższym czasie przez ten gabinet. Niemal
wyłapywał w nozdrzach zapach atramentu, składanych
podpisów pod projektami i umowami zawieranymi z naj-
potężniejszymi konsorcjami tej planety. Willis wreszcie
poczuł się jak w domu.

Zapadł się w obrotowym fotelu i położył dłonie na
biurku. Brakowało tu kilku akcentów, które zniwelowa-
łyby anonimowość tego miejsca. Musiał oznaczyć swoje

terytorium. Kilka zdjęć, ulubiony notatnik, pióro, prezent na gwiazdkę od znajomej... nawet nie pamiętał jej imienia. Będzie musiał tylko zachować umiar. Ten gabinet miał swoje wymagania. Pluszowy słoń, który stał w jego starym miejscu pracy na dole, będzie musiał powędrować do szuflady, tutaj nie pasował. Podobnie z wazonem i kolekcją pocztówek, które przypinał do ściany nad biurkiem. Cóż, trzeba iść z duchem czasu.

Jason zerknął do szuflad. Kartki papieru, nowe wizytówki, kilka urządzeń technicznych. W sumie wszystko, czego potrzebował do pracy. Na biurku lampka, przenośny komputer podpięty do Sieci, elektroniczny kalendarz i projektor. Teraz powinien wziąć się do roboty. Trzeba pokazać, że zasłużył na awans i na to niesamowite biuro. Na pewno szefostwo ułożyło mu już dzisiejszy grafik, wystarczyło go sprawdzić.

Willis nie miał zamiaru wołać Tondraka do siebie. Obawiał się, że nie ochłonął jeszcze wystarczająco, by znieść obecność swojego asystenta. Poza tym mógł sam przeanalizować swój terminarz spotkań. Bart nie był mu do tego potrzebny. Wystarczyło podpiąć się do Sieci.

Ekran monitora rozjarzyło logo Global Genetics. Jason zalogował się do systemu i podłączył elektroniczny kalendarz do łącza USB. Program rozpoznał nowe urządzenie i zainstalował skrót dostępu na pulpicie. Teraz pobierał uaktualnioną listę spotkań i kontaktów.

Kalendarz zasygnalizował gotowość pracy. Jason wprowadził dzisiejszą datę do pamięci i potwierdził dokonanie operacji. Ekran wypełniły zakładki z wyszczególnieniem godzin spotkań. Wybrał pierwszą z nich. Była pusta. Także kolejne. Żadnego nazwiska, telefonu, godziny umówionego spotkania. Cały dzisiejszy dzień stanowił czystą, niezapisaną kartę.

Zawahał się. Być może powinien powtórzyć operację, najprawdopodobniej błędnie zaktualizował bazę danych. Nie spodziewał się, żeby szefowie dali mu dzisiejszy dzień całkowicie wolny od obowiązków. Pamiętał, że jeszcze kilka dni temu sam umawiał na dzisiaj jakieś spotkanie. Miał spotkać się...

Jason odruchowo spojrzał na zegar. Jego uwagę przykuły nie ogromne, pozłacane wskazówki, drewniana, gustowna obudowa czy wahadło wprawiające na starą modłę w ruch antyczny mechanizm. Jego wzrok spoczął na tarczy urządzenia. Przyciągnęły go podświetlane cyfry, data migająca uporczywie na obudowie zegara. Data, która w mniemaniu Willisa na pewno nie mogła oznaczać dzisiejszego dnia.

Spojrzał na ekran monitora. Przez chwilę walczył z targającymi nim emocjami. W końcu podłączył się do sieci prasowej i otworzył najnowszy dziennik na pierwszej stronie. To, co zobaczył, wcale go nie uspokoiło. Na okładce pojawiła się znajoma data, która jeszcze przed chwilą mogła mu się wydawać w miarę odległą przyszłością. Jason Willis nie miał pojęcia, gdzie zapodziało mu się ostatnie siedem dni.

Musiał przeanalizować wszystko jeszcze raz. Musiał to sprawdzić. Przede wszystkim dla siebie, dla świętego spokoju i zdrowia psychicznego, o które właśnie zaczął się obawiać. Przejrzał notatnik uważnie. Ostatni dzień, który pamiętał. To miało być wczoraj, a było tydzień temu. Miał wtedy spotkanie z prezesem. Jedyny wpis w elektronicznym kalendarzu. Odbierał nominację. Pamiętał to doskonale. Biuro na szczycie wieżowca. Przeszklona kopułka, wokół niej ogród, właściwie park. Jason przywoływał w umyśle każdy szczegół. Dziwił się wtedy rozmiarom tych drzew. Nie potrafił zrozumieć, jak mogły wyrosnąć takie ogromne na dachu zwykłego budynku.

Jason zamknął oczy. Zobaczył to jeszcze raz, wyraźnie, zanotował nawet emocje, które wtedy wydawało się, rozsadzą go od wewnątrz. Miał spocone dłonie. Siedział z nogą założoną na nogę, czekał. Dochodził do niego zapach cygar. Mocny, kręcący w nosie. Dym co prawda zawsze mu przeszkadzał, ale nie wtedy. Wtedy wydawał się nawet przyjemny. Nic nie mogło zburzyć jego dobrego samopoczucia. W końcu wiedział, po co został wezwany. Oczekiwał tej nominacji, zasłużył na nią.

Prezes. Mówił coś do niego. Jason próbował skoncentrować się na słowach, które wtedy zostały wypowiedziane. Niemal łapał je w locie. Wychodziły z ust mężczyzny siedzącego naprzeciwko, mieszały się z dymem.

Willis otworzył oczy i zaśmiał się nerwowo. Nie mógł przypomnieć sobie twarzy swojego prezesa. Przecież to było niemożliwe. Otarł dłonią pot z czoła. Zimny pot, który spływał mu nawet pod pachami. W jaki sposób mógł zapomnieć, jak wygląda prezes? Jego prezes? Przecież tego grubasa nie można było pomylić z żadnym innym. Chodził charakterystycznie na tych swoich krótkich nóżkach, kołysząc się jak marynarz na pokładzie statku. To stres, zdenerwowanie. Wystarczy jeszcze raz zamknąć oczy i wszystko sobie przypomni.

Ponownie poczuł zapach dymu. Pamiętał to cholerne cygaro tak wyraźnie, jakby jego zapach unosił się nawet teraz, w tym pokoju, a nie mógł przypomnieć sobie twarzy człowieka, którą znał od tylu lat? Wystarczy się skupić. Skoncentrować. Jeszcze raz. Przecież pamięć czasem płata różne figle.

Usta. Jedyne, co mógł zobaczyć, przypomnieć sobie, to usta. Grube, czerwone wargi, które przy najmniejszym poruszeniu wydawały się zawijać na brodę i nos. Teraz też się poruszały. Jason słyszał słowa, wypowiadane do niego zdania. Pamiętał je najwyraźniej ze wszystkiego, jakby ktoś wyrył je w jego pamięci.

– Jason. Jestem pewien, że wybraliśmy dobrze – mówił człowiek bez twarzy. Nieprzeniknione kłęby dymu wiły się wokół jego głowy. W pokoju nie było nawet najlżejszego podmuchu wiatru, który mógłby choć na chwilę odgonić tę zasłonę. – Z wielką przyjemnością wręczyliśmy ci nominację. Cieszę się, że to właśnie ty będziesz nowym dyrektorem...

Willis coś wtedy odpowiedział. Nie miał pojęcia co. W pamięci pozostał tylko zlepek samogłosek wypowiadanych ze świstem i niezrozumiałe buczenie. Tymczasem ukryty w kłębach dymu prezes kontynuował:

– Jestem pewien, że docenisz delegację na Satelitę. Właśnie została wypisana. Dostaniesz ją przy wyjściu. Wypoczniesz tam, a przy okazji odwiedzisz nasz tajny Techlab. Najnowocześniejszy projekt inżynieryjny w historii świata. Teraz będziesz z ośrodkiem w stałym kontakcie. Dobrze, gdybyś się z wszystkimi zapoznał...

Wizyta na Satelicie? Jason gwałtownie otworzył oczy. Krew huczała mu w głowie. Tajny Techlab? A może to wszystko mu się tylko śniło. Może nawet teraz śnił. Pewnie leży zamroczony w pijackim upojeniu w swoim własnym łóżku, a zatruty umysł produkuje kolejną łudząco realną wizję. Człowiek o zdrowych zmysłach na pewno nie wymyśliłby równie niedorzecznej historii.

Na biurku rozdzwonił się telefon. Wprawił w drżenie szklany klosz lampki. Jason podniósł słuchawkę.

– Halo? – powiedział, notując, że jego głos jest dziwnie słaby i drżący.

– Jason? To ty? – głos po drugiej stronie wydał się znajomy. – Tu Mark! Miałeś zadzwonić do mnie od razu po zainstalowaniu się w biurze!

– Mark? – Willis starał się udawać radosne zdumienie. – Co słychać?

– Świetnie, stary! Choć po twoim wyjeździe wraca rutyna. Wiesz, praca i praca!

– Wiem. – Jason czuł, że krtań zaczyna odmawiać mu posłuszeństwa. Zaczynała zaciskać się z ogromną siłą. Oczywiście nie miał pojęcia, kim jest i o czym mówi tajemniczy Mark. A bał się go o to zapytać. – U mnie też, wiadomo... praca!

– A jak się czujesz? Podróż poszła bez zakłóceń? Słyszałem, że wczoraj wahadłowce utknęły na Satelicie na kilka godzin!

– Wahadłowce? – Willis odkaszlnął. Zaczynało mu brakować tchu w płucach.

– No, przecież balonem na Ziemię nie wróciłeś, stary! – Mężczyzna zaśmiał się dziwnie, nienaturalnie głośno.

– Nie. – Jason także się zaśmiał. Nieudolnie próbował ukryć zmieszanie. – Ale może balonem trwałoby to o wiele krócej! Jestem wykończony... i bierze mnie jakieś przeziębienie...

– No słyszę właśnie, że chrypkę masz... – Po drugiej stronie zapanowała chwila ciszy. – Ale to pewnie od baletów, stary! Ja nie zapomnę, jak żeś w lokalu dał czadu! Nie spodziewałem się, że z ciebie taka cicha woda! Dziewczyny szalały, gdy dałeś koncert...

– No wiesz... – Jason otarł wolną dłonią pot z czoła. – Stary, ale jary!

– Pewnie! – głos Marka stał się dziwnie oschły. – Dzwonię do ciebie, żeby przypomnieć o projektach, które masz do nas wysłać. Nie chciałem, żeby ci to wyleciało z pamięci. To bardzo ważna sprawa dla Techlabu...

– Projekty? – Jason ugryzł się w język. – Możesz na mnie liczyć!

– Świetnie! – mężczyzna zamilkł na ułamek sekundy. – Mam tylko jeden problem, Jason.

– Tak? – Willis uścisnął mocniej słuchawkę. Czuł, że wyślizguje mu się z dłoni.

– Przypomnij mi ich sygnaturę. Wy macie te swoje ziemskie numeracje, których nigdy nie mogę spamiętać. Na śmierć zapomniałem, co mi wtedy mówiłeś. G 48? Jak to było? Szef mi urwie głowę, jeśli mu zaraz nie dostarczę tych danych.

– G 48? – Jason nie mógł zogniskować wzroku, pociemniało mu w oczach.

– No nie wiem! To ty masz wiedzieć, nie? – Mark zawiesił pytanie w próżni.

– I ja mam ci teraz to powiedzieć?

– No przecież możesz, nie?

– Przez telefon?

– Nie rozumiem? – Mężczyzna po drugiej stronie po raz pierwszy wydawał się zbity z tropu.

– A protokół bezpieczeństwa? Człowieku, telefoniczne połączenia nie są objęte procedurami ochrony danych!

– No nie, ale...

– Prześlę ci to bezpiecznym łączem! W końcu musimy obaj przestrzegać pewnych zasad...

– Musimy, Jason – niechętnie zgodził się Mark. – Ale prześlesz mi je zaraz?

– Technik właśnie próbuje podłączyć mnie do systemu. Nie zrobili tego wcześniej. Wyślę tak szybko, jak będę mógł, okay?

– Okay – głos Marka był dziwnie spokojny. – To do usłyszenia?

– Do usłyszenia, stary. – Jason odzyskał pewność. Próbował się uśmiechnąć. – I pozdrów ode mnie dziewczyny.

– Pozdrowię, Jason. Na pewno to zrobię! – obiecał Mark i przerwał połączenie.

Willis dopiero po chwili odłożył słuchawkę na miejsce i osunął się ciężko w fotelu. Było z nim naprawdę źle. Jeśli to był sen, to lepiej, żeby skończył się jak najszybciej. Dłużej tego nie zniesie. Najpierw Bart Tondrak, potem ten dziwny Mark, a do tego wspomnienie rozmowy z prezesem, w której został wysłany w delegację! Dlaczego nie pamiętał siedmiu ostatnich dni? Może rzeczywiście istniała poważna przyczyna opóźnień wahadłowców, o której mówił Mark. Może napromieniowało go podczas jakiegoś wycieku? Ktoś kiedyś opowiadał mu o podobnych wypadkach. A może stało się coś innego? Zabalował w jednym z lokali na Satelicie. Przyjął nieświadomie jakiś miejscowy specyfik, który najpewniej podali mu w płynie. Tłumaczyłoby to jego ogólne samopoczucie. Ból mięśni, gardła, pocenie się, zimne dreszcze. Być może się zatruł i w jakiś niepojęty sposób odbiło się to na jego pamięci?

Telefon znów zadzwonił. Niesamowicie głośno. Jason aż podskoczył w fotelu. Tym razem postanowił nie odbierać. Wpatrzył się w słuchawkę, jakby chciał ją zaczarować. Dopiero po siódmym sygnale ktoś dał za wygraną. Willis zaczął obgryzać paznokcie. Zastanawiał się, co ma teraz zrobić. Przecież nie mógł się ukrywać przed wszystkimi, licząc na to, że pamięć prędzej czy później wróci.

W pokoju rozbrzmiało pukanie do drzwi.

– Proszę? – Jason nachylił się nad komputerem, udając, że przegląda jakieś dane.

– Jason... – Bart Tondrak niepewnie wsunął się do pokoju. Najwyraźniej dalej męczyły go słowa Willisa wypowiedziane kilkanaście minut wcześniej. – Dzwoni profesor Arne Stoiczkow. Podobno byliście na dzisiaj umówieni. Mówi, że to ważne...

– To on dzwonił przed chwilą? – Willis zmarszczył brwi, dając do zrozumienia, że właśnie przerywa mu się bardzo ważne czynności.

– Tak. Zadzwoni znowu za pięć minut. – Bart cały czas ściskał w dłoni klamkę od drzwi, wyglądało na to, że w razie nagłej potrzeby da za nie nura, chroniąc się przed nowym szefem. – Mam go przełączyć do ciebie? Odbierzesz?

– Odbiorę – postanowił Jason. – Za pięć minut. Prze-
łącz go za pięć minut! Aha, Bart...
– Tak?
– Nie łącz nikogo innego!
– Dobrze. – Bart skinął głową i znikł za drzwiami
równie bezszelestnie, jak się pojawił.
Willis odetchnął z ulgą. Znał Stoiczkowa bardzo dobrze. Przynajmniej tym razem wiedział, z kim będzie
miał do czynienia. Arne był zatrudniony na etacie na-
czelnego lekarza Global Genetics na długo przed pojawie-
niem się w firmie Jasona. Był człowiekiem poważanym
i lubianym. Zawsze starał się być i doradcą, i przyjacielem. On zlecał badania okresowe, pomagał w razie wy-
padków, chorób lub problemów życiowych pracowników
i ich rodzin. Był też najlepszym psychologiem, jakiego
Jason znał. Jemu na pewno można było zaufać w każdej
sprawie.
Willis wyświetlił na ekranie monitora dzisiejszy
dzień z kalendarza spotkań. Postanowił na wszelki wypadek upewnić się, że wizyta u Arnego została tam wpi-
sana. Rzeczywiście, jedyne umówione spotkanie zapisane było w samo południe. Gabinet Arne Stoiczkowa,
pawilon administracyjny naprzeciwko wieżowca Global
Genetics. Oprócz tego spotkania nie miał umówionego
żadnego innego.
Telefon znów zadzwonił. Jason podniósł słuchawkę
po pierwszym sygnale.
– Witaj, Arne! Dawno ze sobą nie rozmawialiśmy!
– Zaledwie przedwczoraj, Jason – głos Arnego był poważnie zachrypnięty. – Jak się czujesz? Masz nawroty?
Po obu stronach słuchawki zaległa kompletna cisza.

– Nie rozumiem, o czym mówisz, Arne – Jason zdecydował się odezwać dopiero po dłuższej chwili. W tym czasie w jego głowie przewinęły się setki panicznych myśli.

– Czy pamiętasz naszą rozmowę? – Stoiczkow stał się bardzo natarczywy. – Dzwoniłeś do mnie z Satelity. Mówiłeś, że masz kłopoty z pamięcią!

– Arne... – zaczął ostrożnie Jason. – Stroisz sobie ze mnie żarty? To w ogóle ma być jakiś kawał?

– To znaczy, że czujesz się dobrze? – w głosie Stoiczkowa można było wyczuć wyraźne ożywienie i nadzieję. – Nie masz luk w pamięci?

– Czuję się dobrze, Arne – zaśmiał się nerwowo Jason. – A co do luk w pamięci...

– Tak?

Willis gorączkowo zastanawiał się, co powiedzieć. Stoiczkow był jedyną osobą, której mógł zaufać. Mógł mu też pomóc. Jason stracił właśnie nadzieję, że jest nieświadomą ofiarą niewybrednego żartu. Teraz odczuwał strach. Nie chciał się do tego przyznać przed samym sobą, ale zaczynała ogarniać go panika. Nie miał wyboru. Musiał to z siebie wyrzucić.

– O jakiej luce mówisz? – zniecierpliwił się Stoiczkow.

– Jest jedna, poważna. – Willis głośno przełknął ślinę. W sumie cieszył się, że komuś będzie mógł opowiedzieć o tym, co się z nim teraz działo.

– Opowiedz mi – Arne mówił spokojnie, kojąco, tak jakby przyjmował właśnie w swoim gabinecie, zwracając się do leżącego na kozetce pacjenta.

– Teraz?

– Tak, teraz, po co zwlekać. Musimy podjąć jakąś decyzję – głos Stoiczkowa znów stał się drażniący i oschły. – Jak duże są luki w twojej pamięci i czego dotyczą?

– Cały tydzień, Arne...

– Co?

– Cały cholerny tydzień!

– Mówiłeś komuś o tym? – zapytał Stoiczkow.

– Nie! Oczywiście, że nie! Nie chcę, żeby mnie wzięli za wariata! Pomyślą, że nie wytrzymałem napięcia! Pierwszy dzień jako dyrektor w pracy i taka afera!

– Wszystko będzie dobrze, Jason. – Wydawało się, że Arne się nad czymś zastanawia. – Radzę ci jechać teraz do domu, tak będzie najlepiej.

– Do domu? Mam opuścić biuro? Jak to będzie wyglądało?

– Uwierz mi, tak będzie najlepiej – nalegał Stoiczkow. – Zajmę się twoim alibi. Powiem, że pojechałeś ze mną na spotkania w sprawach firmy.

– I co mam robić w domu? – Jason teraz zaczął naprawdę panikować.

– Poczekasz tam na mnie. Przyjadę. Postaramy się wszystko naprawić.

– Pomożesz mi? Jesteś w stanie mi pomóc? – Willis zaczynał tracić nad sobą kontrolę. Teraz rozkleił się zupełnie. Lekarz kazał mu jechać do domu, musiało być z nim naprawdę źle.

– Pomogę ci – Stoiczkow brzmiał przekonywająco. – Tylko pamiętaj, jedź prosto do domu. Zaraz do ciebie przyjadę.

– Dobrze, Arne. – W tej chwili Jason był w stanie zgodzić się na wszystko, żeby tylko lepiej się poczuć.

– Teraz poinformuj twojego asystenta, że idziesz na spotkanie – Stoiczkow instruował roztrzęsionego Willisa wyraźnie i rzeczowo. – Nie bierz samochodu służbowego. Złap taksówkę i jedź prosto do siebie, zrozumiałeś?

– Tak. – Jason próbował spowolnić szare plamy krążące mu przed oczami. – Zrozumiałem.

Kod do drzwi wejściowych musiał wpisać dwa razy. Nie potrafił opanować drżenia rąk. Mało brakowało, a uruchomiłby alarm antywłamaniowy. Kiedyś zdarzyło mu się to kilkakrotnie. Miał potem problemy z jego wyłączeniem.

Wreszcie wszedł do mieszkania, płaszcz odrzucił na wieszak. Powietrze było duszne i zatęchłe, jakby nie wietrzył tu od bardzo dawna. Podszedł do okna i otworzył je na oścież. Chłód wtargnął do pokoju. Jason czuł, że mimo to wciąż jest mu gorąco. Poluźnił krawat, rozpiął marynarkę i opadł na łóżko.

Musiał czekać. Nie pozostało mu nic innego. Wpatrzył się w sufit, w miejsce, gdzie od tynku odchodził płat farby. Szara plama przypominała statek kosmiczny, wahadłowiec. Silniki rakietowe po bokach, wąski kadłub, spiczasty nos kabiny pilotów... Powieki Jasona stały się ciężkie. Ogarniała go senność, z którą nie miał siły walczyć. Statek zadrżał, zawirował, obrócił się wolno, naprowadzając kurs na lądowisko na Satelicie...

Jason wiedział, że nie jest to zwykły sen. Był w pełni świadomy tego, co widział. Tak jakby na nowo przypominał sobie zapomniany film. Wszystkie szczegóły, detale. Każda scena rozgrywała się w jego umyśle ponownie. Rozpoznawał je, zapamiętywał. Jak części rozsypanej układanki, które wracały na swoje miejsce.

Mark Kotsow, przedstawiciel Globala na Satelicie, odebrał go z lądowiska. Wsiedli do służbowego samochodu i pojechali do hotelu. Jason dziwił się, że mógł o tym wszystkim zapomnieć.

Szklane tunele. One zrobiły na nim największe wrażenie. Wiły się po powierzchni Księżyca, po bezdrożach, kanionach, w nieckach wyschłych jezior i oceanów. Przecinały kratery i wzniesienia, tętniły życiem, zupełnie jak ludzkie, pompujące krew arterie. Łączyły miasta, fabryki, odległe generatory ustawione na zboczach gór. Podróżowali nimi ludzie w małych, piekielnie szybkich pojazdach. Przemieszczał się nimi także Jason, nie mogąc oderwać wzroku od błękitnego globu, który teraz chował się za pustynnym horyzontem.

Sceny pojawiały się coraz szybciej. Pokłady pamięci odszukiwały utracone informacje, tworząc spójny łańcuch wspomnień.

Odnalazł się i tajemniczy Techlab. Laboratorium ukryte w zboczu góry, położone z dala od centrum miasta. Zabrali go tam małym stateczkiem należącym do Global Genetics. Gdy wlecieli do wnętrza góry, Jason stwierdził, że nigdy dotąd nie widział niczego równie pięknego. Laboratorium, hala produkcyjna, zespoły techniczne pracujące nad najnowszymi rozwiązaniami, wszystko w najwyższym stopniu zaawansowania. Tutaj powstawały najbardziej doskonałe produkty. Tworzono je tysiącami, projekt po projekcie, zamówienie po zamówieniu. Większość na zlecenie rządowe. Mozolnie odbudowywano pod okiem specjalistów zoologów i botaników utraconą faunę planety. Żywy towar schodzący z linii produkcyjnych trafiał do skrzyń, ładowano go do gigantycznych transportowców, a potem wysyłano na Ziemię. W ten sposób starano się naprawić to, co zniszczył sam człowiek.

W pamięci Jasona utkwiło wiele innych szczegółów. Rozświetlone neonami miasto, zawsze jakby schowane w cieniu, pokryte wszędobylskim pyłem. Refleksy na kopułach tlenowych, ogrody i parki wciśnięte pomiędzy napuchnięte, wyglądające jak nadmuchane balony, wieżowce. Doszły też wrażenia dźwiękowe, dziwny, nieustający szum pomp wtłaczających powietrze do pomieszczeń. Zapach. Zatęchły, ciepły i suchy, jak z rozgrzanych grzejników elektrycznych. Pojawił się też smak. Jedyny, jaki potrafił poczuć nawet teraz w ustach. Smak z knajpki, do której zabrał go Mark i kilku innych pracowników Techlabu. Byli zgraną paczką, bawili się dobrze w swoim towarzystwie i w jakiś naturalny sposób zaakceptowali w swojej grupie Jasona. Z nim mieli zresztą od teraz ściśle współpracować, zwłaszcza Mark.

Brunetka Marianna, tak miała na imię dziewczyna, która zrobiła na Willisie największe wrażenie, zamówiła mu miejscowy specjał. Nazywał się „księżycowym doznaniem". W sumie była to niepowtarzalna mieszanina kuchni ziemskiej z wykorzystaniem dziwnego, świecącego porostu, który pojawił się na Księżycu po zasiedleniu go przez ludzi. Pokrywał szyby, wentylatory, kilometry aluminiowych rur. Początkowo traktowano go jako chwast, dopóki ktoś nie postanowił ugotować go w swojej kuchni. Okazało się, że ma niesamowite właściwo-

ści. Wpływał też podobno na potencję, czego Jason nie
omieszkał sprawdzić owej nocy z Marianną. Porost miał
niepowtarzalny smak. Willis potrafił go określić tylko
w jeden sposób. „Księżycowe doznanie" przypominało
smak migdałów, parzonych słodkich migdałów...

Usiadł na łóżku. Obudził się, reagując na dziwny
dźwięk rozlegający się w pokoju. Ktoś stał przed drzwiami.
Jason zaczął nasłuchiwać. Dźwięk powtórzył się. Ledwie słyszalny chrobot, jakby ktoś zdrapywał pazurami
farbę ze ściany.

– Kto tam? – Willis zawołał niepewnie. Jego własny
głos zabrzmiał dziwnie głucho i nienaturalnie. – Czy to
pan, doktorze Stoiczkow?

– Naturalnie! – wyraźne zapewnienie dobiegło zza
drzwi dopiero po chwili. – Przyjechałem jak najszybciej mogłem, Jasonie. Możesz otworzyć, porozmawiamy.
Mam dla ciebie całkiem dobrą wiadomość!

Jason błyskawicznie oprzytomniał. Zeskoczył z łóżka
i podbiegł do drzwi. Wyjrzał przez wizjer na korytarz.
Soczewki nienaturalnie wydłużyły twarz doktora. Rozglądał się nerwowo na boki. Najwyraźniej niecierpliwił
się bezczynnym czekaniem na korytarzu.

– Już otwieram! – Willis przyłożył kciuk do czytnika
w zamku centralnym. Mechanizm zgrzytnął i automatyczna blokada puściła. Drzwi stanęły otworem.

– Jason! – Doktor uśmiechnął się szeroko. Jego spojrzenie powędrowało w głąb pokoju, jakby chciał się
upewnić, że pacjent jest w mieszkaniu sam. – Znalazłem
rozwiązanie twojego problemu!

– Tak? – Willis poczuł dziwne ciepło rozchodzące się
od żołądka. Niemal odetchnął z ulgą.

– Poprosiłem o konsultację mojego przyjaciela... – Doktor Stoiczkow wyciągnął rękę w bok. – Profesora... Antonia...

Z lewej strony korytarza wysunął się wysoki, mocno zbudowany mężczyzna. Wyciągnął dłoń w stronę Jasona.

– Moralesa... – dokończył chrapliwie. – Nazywam się doktor Antonio Morales.

Jason poczuł, że jego prawica zostaje ściśnięta niczym w imadle.

– Możemy wejść? – zapytał Morales, nie wypuszczając dłoni Jasona ze stalowego uścisku.

– Pewnie! – Willis uśmiechnął się krzywo, próbując zignorować palący ból w nadgarstku.

– Świetnie! – Goście naparli na gospodarza, zmuszając go do cofnięcia się w głąb pokoju.

– Usiądź wygodnie na łóżku! – polecił Stoiczkow, zamykając za sobą drzwi. – Wiemy, jak ci pomóc.

– Cieszę się. – Jason rozmasował zgniecioną dłoń i przycupnął ostrożnie na brzegu materaca, dokładnie naprzeciw okna. – To co mi jest? – zapytał nieśmiało.

– Czasowa dysfunkcja pamięci, najpewniej wywołana szokiem. – Stoiczkow zbliżył się do Jasona i położył obok niego swoją skórzaną torbę lekarską.

– Czy to minie?

– Minie, minie na pewno! – zaśmiał się chrapliwie Morales. Stał na szeroko rozstawionych nogach, odcinając drogę do drzwi.

– Ale czy szybko? Będę mógł wrócić do pacy już jutro?

– Jason! – Stoiczkow wyciągnął z torby jakieś ampułki i strzykawkę. W pokoju rozniósł się ostry zapach środka dezynfekującego. – Jutro będziesz mógł wrócić do pracy. Wszystko sobie przypomnisz. Nie będziesz miał już więcej problemów z pamięcią. Zapewniam cię, że tym razem nie zrobimy błędu i wszystko będzie dobrze.

– Tym razem? – Willis wzdrygnął się. Popatrzył po twarzach Moralesa i Stoiczkowa. – Jak to tym razem?

– No, z diagnozą. – Doktor uciekł wzrokiem przed spojrzeniem pacjenta. Włożył ampułkę do komory w strzykawce. – Teraz już wiemy, co ci dolega.

– Doktorze, nie ma na co czekać! – Morales wytarł nos w rękaw. Niecierpliwił się. – Niech pan robi ten zastrzyk i go zabieramy!

– Gdzie mnie zabieracie? – Jason próbował wstać, ale Stoiczkow przytrzymał go zdecydowanym ruchem ręki.

– Chłopcze, uspokój się! – Lekarz sam wyraźnie się zdenerwował. Popatrzył dziwnie na Moralesa. – Zabiorę cię do siebie, do gabinetu. Przeprowadzę seans regresyjny. Musimy poznać przyczynę tych zaburzeń, żeby się nie powtórzyły. Tylko tam mamy odpowiedni sprzęt.

– W takim razie po co teraz ten zastrzyk? – Serce Jasona niemal wyskakiwało z piersi. – Nie rozumiem?

– Po to, żebyś się uspokoił! – Stoiczkow podwinął Willisowi rękaw i mocno uchwycił jego nadgarstek. – Miałeś za dużo stresów. Podczas zabiegu musisz być rozluźniony i podatny na sugestię...

– To zróbmy to u pana w gabinecie. – Jason wyrwał się z uścisku. – A nie teraz. Teraz źle się czuję!

– Niech pan robi ten cholerny zastrzyk! – Rzekomy profesor wysunął się zza pleców doktora. W dłoniach trzymał promiennik z długą, karbowaną lufą. Mierzył nim w pierś Jasona.

– To nie było potrzebne! – krzyknął Stoiczkow. – Zrobię zastrzyk i po krzyku. Nie możemy go przecież uszkodzić!

– Nie wiem, po co się z nim tak cackać! – Morales skrzywił się. Nie spuszczał oczu z Willisa. – Przecież i tak nie będzie tego wszystkiego pamiętał. Rozbebeszycie mu mózg i będzie posłuszny jak baranek!

– Ale to dla niego kolejny stres! – Przestali zwracać uwagę na skamieniałego z przerażenia Jasona, jakby zapomnieli, że ten w ogóle znajduje się w tym pokoju. – Kto wie czy to właśnie stres nie popsuł ostatniego transferu! Wszystko zrobiliśmy jak należy, a mimo to jego umysł wyparł matrycę z preparowanymi informacjami! Jeśli teraz też tak będzie, odpowiesz za to! Postaram się, żeby cię skasowali! Możesz mi wierzyć!

– Nie unoś się tak, doktorku! – Morales zaśmiał się znów chrapliwie. Stracił jednak nieco ze swojej werwy. – Wszystko załatwimy tak, jak należy. Nikomu nic się nie stanie!

Kłótnia przestała dochodzić do uszu Jasona. Zakręciło mu się w głowie, zza okna wdarł się do pokoju zapach migdałów.

Spojrzał na dach budynku naprzeciwko. Ktoś tam stał. Podskakiwał, dając mu sygnały. Najwyraźniej wskazywał na coś. Podnosił wysoko rękę. To napis. Świetlny transparent. Tak, był pewien, że chodzi właśnie o to. Co tam było napisane? Willis miał problem ze złożeniem wyrazów. „Wyskocz przez okno"? Miał wyskoczyć przez okno?

Wyrwał się z otępienia. Zanim podniósł się z łóżka, pchnął z całej siły Stoiczkowa w stronę Moralesa.

W pokoju zakotłowało się. Błyskawicznie wstał i rzucił
się przed siebie. Wystarczyły trzy kroki. Odbił się lewą
nogą od podłogi i skoczył w stronę okna. Morales zdążył wystrzelić. Jason poczuł ciepło za plecami, eksplozja
ogłuszyła go. Poleciał w dół z odłamkami szkła i szcząt-
kami okiennej ramy.

Miał wrażenie, że wpada w pajęczą sieć. Czuł delikat-
ny materiał na twarzy i policzkach. Rozrywał go pędem
swojego ciała. Nie miał odwagi otworzyć oczu. Czekał
na ostatnie uderzenie, które złamie mu kręgosłup i wbi-
je go w betonowy chodnik.

Nic takiego jednak nie nastąpiło. Jason zatrzymał się.
Delikatnie zawisł w powietrzu, jak na gumowych linach,
które elastycznie opięły jego ciało, opuszczając stopniowo w dół.

Dotknął stopami podłoża. Dopiero wtedy otworzył
oczy. Stał na balkonie, kilka metrów nad chodnikiem.
Mrowie głów przewijało się pod nim, przemieszczając
w stronę stacji metra i domu towarowego zawieszonego
na wbitych w ziemię szklanych palach.

Jason spojrzał w górę. Dałby głowę, że wysoko z okien
na trzydziestym piętrze wychyla się dwoje ludzi. Stoiczkow i Morales, to na pewno byli oni. Musieli go zobaczyć.
Wiedzieli, że przeżył upadek.

Willis odruchowo otrzepał marynarkę. Zdarł z ubrania pajęczynę, która szczelnie oblepiła spodnie i rękawy.
Zareagował niezwykle spokojnie. Tak jakby uznał to wydarzenie za całkiem naturalne. Musiał być w szoku.

Rozejrzał się. Dziwny daszek, na którym stał, przypominał ogromną dmuchaną zabawkę, jakich pełno widuje się na placach zabaw. Jeszcze teraz gumowy materiał pod butami pracował. Kolana Willisa uginały się, a on sam rytmicznie zapadał się i unosił na sprężynującej powierzchni.

Żółta drabina. Zauważył ją dopiero teraz. Prowadziła na dół, na chodnik. Jason nie potrafił pozbyć się myśli, że także ją ktoś zostawił tutaj specjalnie dla niego. Próbując utrzymać równowagę, przesunął się w stronę ściany. Zaparł się dłońmi o betonowe żebra budynku i przesunął w kierunku zejścia. Wiedział, że musi się spieszyć. Trudno było liczyć na to, że Stoiczkow i Morales będą biernie siedzieć w pokoju i czekać na to, co zrobi. Mógł się raczej spodziewać, że w tej chwili zjeżdżają windą w dół i lada chwila wypadną na ulicę. Jeśli nie opuści tego miejsca jak najszybciej, najpewniej go przechwycą.

Z ulgą postawił stopy na chodniku. W tłumie ludzi poczuł się bezpieczniej. Powstrzymał pierwszy odruch nakazujący mu rzucić się biegiem w dół ulicy. Nie był pewny, czy któryś ze wspólników Stoiczkowa nie czeka przed budynkiem. Mógłby go wtedy łatwo wypatrzyć. Jason zawahał się, zaczynał panikować. Wiedział, że musi ulotnić się z tego miejsca jak najszybciej, nie wiedział jednak, jak tego dokonać.

Wolnym krokiem dołączył do mijających go ludzi. Wmieszał się w tłum, postanowił dać się ponieść kolorowej fali. Pochylił się, przygarbił, jakby na plecach niósł spory ciężar. Przekroczyli ulicę. Światła zmieniły się, rój samochodów znów ożył, odcinając go metalową barierą.

Jason podszedł do wolnej taksówki zaparkowanej w zatoczce przy przystanku autobusowym. Otworzył drzwiczki i wpakował się do środka. Ciężko usiadł na miejscu pasażera.

– Dokąd? – Fantom kierowca odwrócił się, wlepiając w niego soczewki kamery.

– Przed siebie – rzucił Willis.

– Dokąd? – powtórzył fantom w ten sam sposób. Metalowa głowa przechyliła się dziwnie na szczątkowym korpusie.

– Jedź w stronę centrum. Powiem, gdzie masz się zatrzymać...

– Będzie pan płacił kartą czy gotówką?

– Kartą... nie! Gotówką! – Jason nerwowo zlustrował ulicę.

– Więc? – głos fantoma brzmiał dziwnie irytująco.

– Jedźżeż, do jasnej cholery! – zniecierpliwił się Willis. Skulił się na siedzeniu, tak żeby nie można było dostrzec go z zewnątrz.

– Czy zamierza pan zakłócać porządek? – Czerwone diody złowróżbnie zapaliły się na korpusie fantoma.

– Nie! – Willis właśnie dostrzegł Stoiczkowa po drugiej stronie ulicy. Uważnie obserwował mijających go ludzi. Morales był już przy przejściu dla pieszych. – Zapłacę gotówką. Proszę jechać!

Fantom wahał się jeszcze przez ułamek sekundy. Potem czerwone diody zgasły i taksówka odbiła od krawężnika, dołączając do innych samochodów zmierzających w stronę centrum. Stoiczkow i Morales zostali daleko w tyle.

Mijali kolejne przecznice. Jason wiedział, że przez cały czas jest uważnie obserwowany w lusterku przez kierowcę. Postanowił to jednak zignorować. Obracał się co chwila za siebie, sprawdzając, czy nie jedzie za nimi jakiś samochód. Najwyraźniej nikt go nie śledził. Taką przynajmniej miał nadzieję.

Wcześniej uczepiłby się jednej myśli, że śni i musi obudzić się z męczącego go koszmaru. To nie był sen. Znalazł się w sytuacji nieomal bez wyjścia. Był zagubiony, wystraszony, nie wiedział, co się z nim dzieje i dlaczego ludzie, którym ufał, chcą mu zrobić krzywdę. Nie wiedział też, co począć teraz. Nagle całe to miasto wydało mu się obce i nieprzyjazne. Gdzie miał się udać? U kogo szukać pomocy? Nie miał przyjaciół, rodziny, osoby, do której mógłby się zwrócić.

Był sam.

Ta myśl tak go zmroziła, że nawet nie zauważył, iż fantom zatrzymał samochód przy chodniku.

Boczne drzwi taksówki uchyliły się. Jason otworzył usta, ale nie był w stanie nic powiedzieć. W jego stronę nachyliła się kobieta. Uważnie mu się przyjrzała.

– Pozwoli pan? – zapytała i nie czekając na odpowiedź, usadowiła się wygodnie.

– To moja taksówka... – wybełkotał. – Zajęta.

– Nie będę panu przeszkadzać... – Uśmiechnęła się. Chusta okrywająca jej głowę zsunęła się na ramiona. Miała bardzo krótką, modną fryzurę. Kolor jej włosów i brwi był nienaturalnie złocisty. – I tak jedziemy w tę samą stronę...

– Dokąd? – głos fantoma po raz pierwszy zabrzmiał przyjemnie.

– Przed siebie, kochanie... – powiedziała miękko kobieta. Usiadła wygodniej, zakładając nogę na nogę. Nie
spuszczała uważnego spojrzenia z Jasona. – Przed siebie.
– Dobrze, proszę pani. Przed siebie – potwierdził fantom i taksówka ruszyła.

Willis nie wiedział, jak zareagować. Zacisnął pięści.
Był zdecydowany, nie da się złapać. Na pewno tanio skóry nie sprzeda. Zastanawiał się, dlaczego wysłali ją, kobietę. To mogła być jedna z psychologicznych zagrywek
Stoiczkowa. Wiedzieli, że się zawaha? Spodziewali się, że
nie będzie w stanie jej uderzyć? Czego od niego chcieli?
W co się wplątał?

– Jaki masz plan? – Wreszcie przestała świdrować go
wzrokiem. Wyjęła z torebki lusterko i nałożyła szminkę
na karminowe usta. – Jeśli oczywiście mogę wiedzieć...

– Czego ode mnie chcecie?

– Biedaczek. – Kobieta zdecydowanie schowała przy-
bory do torebki i zamknęła ją z głuchym trzaskiem. –
Każdy czegoś od niego chce. W dodatku nie wiadomo
czego?

– Co mi zrobicie? – Jason złapał klamkę u drzwi. Był
zdecydowany wyskoczyć.

– My? – Położyła dłoń na kolanie Willisa. – My chcemy ci pomóc.

Automatyczne blokady drzwi szczęknęły. Znalazł się
w potrzasku.

– Zastrzyk, a potem rozbebeszenie mózgu? – Opadł
bezwładnie w fotelu. Dał za wygraną.

– Tak robią tylko ci źli... – Zaśmiała się głośno. – Tylko ci źli, kotku.

– Wy robicie to inaczej?

– Nie. – Zatrzymała na Jasonie nieruchome spojrzenie. Zauważył, że nawet jej tęczówki mają kolor żywego złota. – My jesteśmy ci dobrzy!

Wjechali na podziemny parking. Sztuczne światło sączące się z sufitów zapalało się przed nimi wyczulone na ruch samochodów. Wskazywało im drogę, prowadząc plątaniną korytarzy i poziomów pośród niezliczonych stanowisk parkingowych. W końcu zatrzymali się w wydzielonym miejscu. Zupełnie pustym, odległym.

Drzwi taksówki otworzyły się. Kobieta wysiadła pierwsza. Dała znak Jasonowi, by poszedł w jej ślady. Nie miał wyboru. Nie mógł teraz nic zrobić. Nie wiedział nawet, gdzie się znajduje. Zresztą słusznie spodziewał się, że kobieta nie działa sama. W ich stronę podeszło dwóch rosłych mężczyzn. Byli czujni. Stanęli bardzo blisko, jakby bali się, że zaraz da nura w ciemność, gubiąc się w plątaninie korytarzy.

– Nic nie pamięta? – starszy, szerszy w barach mężczyzna zwrócił się do kobiety.

– Nie. Tak jak podejrzewaliśmy, musiało dojść do sprzężenia. – Przelotnie popatrzyła na Willisa. – Ważne, że zdążyliśmy w ostatniej chwili. Niemal doszło do przejęcia.

– Spisałaś się, Saro. – Młodszy mężczyzna uśmiechnął się szeroko. – Plan ewakuacyjny zadziałał. A bałaś się, że nie skoczy...

– Skoczył. Wzmocniliśmy w nim ten nakaz na wypadek zagrożenia. Potem, tak jak chcieliśmy, przeszedł przez ulicę i wsiadł do naszej taksówki. Oby wszystkie procedury bezpieczeństwa tak działały.

– Brawo, mały! – Młodszy klepnął Jasona mocno w plecy, tak że ten niemal zatoczył się na maskę taksówki. – Alebyśmy przez ciebie mieli kłopotów!

– Kłopoty dalej są, Edan – sapnął starszy mężczyzna. – Będą go szukać. Przekopią to miasto do fundamentów. Musimy działać szybko. Miejmy nadzieję, że wciąż o nas nie wiedzą...

– Są uśpieni, Kar – powiedziała Sara. – Nie wiedzą o naszym istnieniu. Byli tak pewni siebie, że nie przedsięwzięli żadnych środków ostrożności. W jego apartamencie był tylko Stoiczkow z jakimś gorylem. Jestem pewna, że myślą, że on ma po prostu cholerne szczęście. Myślą, że ucieka, bo się wystraszył. Są pewni, że prędzej czy później wpadnie w ich ręce...

– Edan – Kar mimo zapewnień Sary nie wyglądał na spokojnego – zabieramy go. Nie ma na co czekać. Musimy podjąć decyzję.

– Dobrze. – Mężczyzna chwycił Jasona pod ramię i mocno szarpnął.

Willis ruszył u jego boku jak bezwolny manekin. Półprzytomnym wzrokiem patrzył na Kara i Sarę. Obrazy i dźwięki były nierzeczywiste, jakby obserwował wszystko z góry, a potem z boku. Jakby to, co się wokół niego rozgrywało, było filmem puszczonym na wielkim ekranie. Był widzem, który śledził wydarzenia i za wszelką cenę starał się zrozumieć scenariusz tego filmu i swoją w nim rolę.

Edan przysunął go do ściany przy jednym z filarów. Nacisnął niewidoczny przełącznik. Ściana rozstąpiła się.

Sterylnie biały korytarz prowadził w dół. Jason niepewnie postawił stopę na pierwszym schodku.

– Witamy ponownie w naszym królestwie – szepnął Edan i obaj ruszyli w chłodną czeluść.

W tym czasie Sara przytrzymała Kara, ujmując go pod ramię. Odciągnęła go w bok, tak żeby Jason nie usłyszał przypadkiem ich rozmowy.

– Czy to, co chcesz z nim zrobić, jest konieczne? – zapytała. – Nie ma innego wyjścia?

– Nie. – Kar zawahał się. Westchnął ciężko. – Nie mamy wyboru... Chciałbym, żeby było inaczej.

– Ja też – szepnęła Sara i oboje ruszyli w dół wąskim korytarzem.

Korytarz, którym prowadzono go kilka godzin temu, wydawał się wymarły.

Teraz nawet to się zmieniło. Rozmowy dobiegające zza zamkniętych drzwi świadczyły o tym, że w podziemiach było więcej osób. Niektórzy spierali się, dyskutowali podniesionymi głosami. Raz nawet usłyszał brzęk szkła.

Leżał na skórzanym, obrotowym łóżku. Otoczony aparaturą, buczącym sprzętem i przewodami. Niektóre z maszyn wypluwały z siebie tony papieru, sygnałem życia i stałej, czujnej obecności innych były wyłącznie wykresy pojawiające się na ekranach monitorów.

Pozwalał im na wszystko. Jakby ciało, które nakłuwali, nie należało do niego. Zresztą nic nie czuł, no, może tylko to nieznośne mrowienie w palcach.

Kar był milczący i surowy. Interesowały go tylko wyniki badań. Jego aktywność ograniczała się do przeglądania danych, dozorowania pracy urządzeń. Edan zachowywał się zupełnie inaczej. Czasem nawet zażartował. Traktował Jasona jak zapadającego na nieuleczalną chorobę znajomego, któremu można jedynie ulżyć w cierpieniu. Podobnie Sara. Uśmiechała się, brała Jasona za rękę, jakby chciała mu dodać otuchy. Była jednak myślami zupełnie gdzie indziej.

– Co zamierzacie? – słowa Willisa zabrzmiały głucho. Odezwał się po raz pierwszy, odkąd przyprowadzili go do tego małego zielonego pokoju. – Czy powiecie mi cokolwiek?

Kar i Edan spojrzeli po sobie, żaden nie zdecydował się odpowiedzieć.

– Jesteśmy mu to winni. – Sara była dziwnie blada. Drżał jej głos.

– Nie wiem, Saro. – Kar przewrócił kartkę papieru. Wpatrzył się w jakiś wykres. – Co to zmieni?

– Przynajmniej zrozumie... – Kobieta popatrzyła na Edana, jakby u niego szukała poparcia. – Gdybyśmy byli na jego miejscu...

– Ale nie jesteśmy – przerwał jej. – To tylko utrudni sprawę.

– Chcę wiedzieć! – Jason próbował się podnieść. Rzemienne pasy przytrzymały go jednak w miejscu. – To, co dzieje się teraz w moim mózgu, jest gorsze niż to, co mi robicie!

– Jak chcesz, Saro! To twoja decyzja – powiedział głośno Kar. – Ale ostrzegam cię, że będzie to potem dla ciebie jeszcze trudniejsze!

– Wiem – odpowiedziała krótko. Założyła dłonie na piersi. Kar zmierzył ją wzrokiem. Potem przywołał do siebie Edana i razem opuścili pokój.

Sara długo milczała, gdy zostali sami. Po prostu na niego patrzyła.

– Czy ja...

– Nieźle namieszałeś, Jasonie – przerwała mu. Uśmiechnęła się. – Im i nam...

– Im?

– Global Genetics. Firmie, dla której pracujesz. – Usiadła na łóżku obok niego. – Dowiedziałeś się o nich kilku rzeczy, których nie powinieneś był wiedzieć...

– Ale ja nic nie wiem! – Nigdy dotąd nie czuł tak przejmującej bezsilności. – Nic!

– Wiesz, wiesz. To wszystko jest tu! – Dotknęła jego czoła. – W twojej głowie. Ukryte głęboko w podświadomości. Wiesz coraz więcej. Poznajesz ich największe tajemnice. Gdyby się o tym dowiedzieli, już dawno przestałbyś istnieć. Zniszczyliby ciebie i wszystkie twoje kopie... Na szczęście nigdy nie byli przesadnie ostrożni. Ta pewność siebie kiedyś ich zgubi...

– O czym ty mówisz?!

– Jasonie. W tym pokoju znajdujesz się nie po raz pierwszy. Byłeś tu już wcześniej. Rozmawiałeś ze mną tak jak teraz wiele razy. Jesteś naszą doskonałą wtyczką. Naszym człowiekiem w Global Genetics. Tak doskonałym agentem może być jedynie nieświadomy agent. Człowiek, który nie wie, że nim jest. Nie zdradzi się. Nie będzie się bał wykrycia. Będzie naturalnie się zachowywał, żył i pracował. Będzie jednak zaprogramowany. Doskonale zaprogramowany do zbierania informacji...

– Dosyć! – Jason wycharczał z siebie słowo z wariackim chichotem. – Już dość. To jest żart. Taka gra! Ale zaszła za daleko!

– To nie gra, Jasonie! – Sara uchwyciła jego twarz w swoje dłonie. – Przykro mi. Co jakiś czas Global Genetics sprawdza swoich ludzi. Prześwietla ich mózgi, by wiedzieć, co wiedzą i co robią! Ty zbierasz dla nas informacje, tak jesteś zaprogramowany. Gdy masz ich za dużo, stajesz się niebezpieczny dla nich i dla nas. Musimy wtedy działać. Zamieniać jedną twoją kopię na drugą! Teraz też przyszedł taki moment.

– Moją kopię?

– Nam też popsułeś plany... – Sara przemilczała jego pytanie. – Miało to wyglądać inaczej. Gdyby teraz cię złapali, byłoby po nas. Musieliśmy cię przechwycić przed nimi. Wiedzą, że coś zablokowało twój umysł. Przeskanują najgłębsze zakamarki twojego mózgu, bo będą chcieli dowiedzieć się, co poszło nie tak. Dlaczego nie pamiętałeś tego, co wrzucili sami do twojej pamięci po tym wypadku! Będą chcieli wiedzieć, dlaczego nie pamiętasz delegacji na Satelitę i tych cholernych siedmiu dni!

– Po jakim wypadku?! – Willis czuł, że chce mu się wyć. Modlił się, żeby to jak najszybciej się skończyło.

– Miałeś wypadek, Jasonie. Kto mógł się tego spodziewać? Potrącił cię samochód. Global Genetics dowiedział się o tym wcześniej od nas. Pojawili się na miejscu pierwsi. Potem odtworzyli cię takim, jakim byłeś przed wypadkiem. Musieli mieć jedynie czas na przygotowanie nowego klona, siedem dni. Żeby zatuszować twoją nieobecność, wymyślili delegację na Satelitę.

– Satelita? To wreszcie byłem tam czy nie?

– Nie jestem w stanie jednoznacznie ci tego wytłumaczyć. – Sara odsunęła się od niego. Uśmiechnęła się dziwnie. – Fizycznie nigdy tam nie byłeś. Jednak w twój umysł wtłoczono niezbędne informacje. Jest tam wszystko; realne wspomnienia, zapachy, smaki i wrażenia. Nigdy nie byłbyś w stanie stwierdzić, że są fałszywe.

– To dlaczego nic nie pamiętam? – Jason próbował się poruszyć, ale rzemienie przytrzymały go w miejscu.

– W tym właśnie tkwi problem. – Sara zachmurzyła się. – Nastąpiło sprzężenie. Nasza ingerencja w twój umysł była śladowa, nie do wykrycia. Zbierałeś dla nas informacje, które co jakiś czas z ciebie wyciągaliśmy. Te dane były głęboko zaszyfrowane. Nawet w czasie rutynowej kontroli Global nie potrafił ich wykryć. Jednak po tym wypadku wszystko poszło nie tak. Tworząc twoją kopię, dokonali transferu pamięci. Co więcej, dodali nowe informacje, wymazali te, które... – zawahała się. Uciekła wzrokiem, jakby zorientowała się, że wkracza na niebezpieczny temat. – Które uznali za zbędne. Jednak przez przypadek przenieśli także nasz program. Tkwił przez cały ten czas w twojej podświadomości. To on tak namieszał. Samoczynnie wyparł nowe informacje przekazane przez Global. Dlatego ich nie przyswoiłeś.

– Co teraz? – Jason zadrżał, zaczynał rozumieć beznadziejność sytuacji.

– Ich informacje i nasze nawarstwiły się. – Sara spojrzała na niego ze współczuciem. – Właśnie stąd ten chaos w twojej głowie. Teraz nie możemy pozwolić, żeby dostali cię w swoje ręce. Gdy raz zwęszą trop, nie odpuszczą. Znajdą nas i zniszczą. Jesteś jak chodząca bomba zegarowa...

– Więc co ze mną zrobicie? – Willis z trudem przełknął ślinę. Wpatrzył się w sufit, w nieregularne plamy
pleśni otaczające świetlówki.

– Teraz pobieramy z twojego mózgu informacje, któ-
rych będą się spodziewali, gdy dostaną cię w swoje ręce.
Potem przeniesiemy je do twojej kopii. Ona cię zastąpi.
Jest bezpieczna. Nie ma w niej żadnej informacji o nas.
Global całą sprawę potraktuje jako zwykłe sprzężenie.
W końcu czasem się to zdarza. Wtedy wrócisz do nor-
malnego życia. Gdy ich czujność osłabnie, znów zacznie-
my działać...

– Moja kopia do Global Genetics... A co ze mną? Za-
bijecie mnie? Umrę?

– Nie umrzesz. Technicznie... to znaczy... – Sara czuła, że jej tłumaczenia są zupełnie bezsensowne. Bo jak
wytłumaczyć, że odczuje to jako śmierć ciała i umysłu,
a potem odrodzi się w identycznym ciele, z pamięcią już
nieco inną, uporządkowaną... Jak powiedzieć, że to będzie dalej on... Przecież gdyby za każdym razem pozo-
stawiali przy życiu jego kopię, byłoby już na tym świecie
kilkunastu Jasonów Willisów. – Jasonie. W sumie to już
się zdarzyło kilkakrotnie. Tak naprawdę... widzisz, przecież ty już jesteś kopią...

Jason z trudem otworzył oczy. Nie mógł się poruszyć.
Wciąż znajdował się w zielonym pokoju. Przeszył go
zimny dreszcz. Może to już się stało? Może jest już po
wszystkim. Jest kopią swojego własnego ja. Kopią kolejną z rzędu!

Nie, serce powoli wróciło do normalnego rytmu. Wtedy nie pomyślałby w ten sposób. Nie miałby tej wiedzy, którą teraz posiada. Jeszcze mu nic nie zrobili. Jeszcze.

Próbował się podnieść. Nie mógł. Krew zahuczała mu w mózgu. Pociemniało w oczach. Poczuł zapach i smak migdałów.

Świetlny refleks sprawił mu ból. Przeszył jego czaszkę niczym rozżarzony szpikulec. Pojawił się rozmazany obraz. Rozpędzony samochód. Światła paraliżujące ruchy. Maska pick-upa unosi się, uderza w Elisabeth i w niego. Umiera wgnieciony w latarnię przy sklepie z gazetami...

– Elisabeth! – wydusił z siebie. Wciąż nie mógł zaczerpnąć powietrza. Jakby w klatce piersiowej zamiast płuc i żeber miał jedynie stertę zgniecionego żelastwa. – Wszystko pamiętam!

Pamięć wróciła momentalnie. Cała. Z najdrobniejszymi szczegółami. Blokada, która trzymała wszystkie informacje gdzieś głęboko w zakamarkach mózgu, puściła. Zalały go wrzącą falą, przytłoczyły. Wszystkie emocje naraz. Strach, żal, zdziwienie, bezsilność i złość. Mieszanka, która niemal rozerwała go od środka.

– Jason? – Pierwszy w pokoju pojawił się Edan. Obrzucił szybkim spojrzeniem urządzenia i zabezpieczenia na łóżku Willisa. – Krzyki nic ci nie pomogą. Będę musiał zaaplikować ci środek uspokajający!

– Wszystko pamiętam, gdzie Sara?! – Jason szarpnął się. Drżał na całym ciele. Trawiła go dziwna gorączka.

– Uspokój się! – Edan obejrzał się za siebie, jakby szukał pomocy.

– Gdzie Sara?! – wrzasnął Jason. Musiał jej powiedzieć. Czuł, że tylko ona jest w stanie mu pomóc.

– Kar zabronił jej kontaktu z tobą... – Edan podszedł do szafki ustawionej w głębi pokoju. Odwrócił się do Jasona plecami.

– Wiem, co zamierza Global Genetics! – wyrzucił z siebie Willis. Wiedział, że Edan wyciąga teraz strzykawkę i środek, który przytępi jego zmysły. Musiał mu w tym przeszkodzić.

– Tak? – Edan zawahał się.

– Przed wypadkiem. Zrozumiałem to przed wypadkiem, w którym zginęła Elisabeth i... w którym zginąłem ja!

– Mów dalej! – Kar wyrósł jakby spod ziemi. Za jego plecami stała Sara. Spuściła wzrok, unikała spojrzenia Jasona. – Co wiesz?

– Najpierw zawrzemy umowę! – wydyszał Jason. Wiedział, że musi postawić wszystko na jedną kartę. To była jego jedyna szansa. – Najpierw obiecacie mi, że mnie nie zlikwidujecie!

– Nie możemy tego obiecać. – Kar pokręcił głową. Uśmiechnął się wątpiąco. Najwyraźniej podejrzewał, że Jason blefuje. – Musimy trzymać się zasad. Od tego zależy los naszej organizacji!

– Już niedługo wasza organizacja nie będzie istnieć! – zaśmiał się Willis. Chciał, żeby jego głos zabrzmiał złowieszczo. Musiał sprawić, by choć przez chwilę zwątpili. – Mam informacje, na które czekaliście...

– Jeśli tak – Kar dziwnie się uśmiechnął – to prędzej czy później je odczytamy. Od wczoraj skanujemy twój mózg, Jasonie.

Wzrok Willisa podążył za palcem Kara. Wskazywał maszynę ustawioną przy łóżku. Jason zbladł.

– Prędzej czy później? – zapytał. Nie mógł teraz się wycofać. Jeśli przegra tę bitwę, nic mu nie pomoże. – Nie macie już czasu na waszą konspirację. Nie macie czasu na działanie obliczone na lata! W ciągu najbliższych dni zadecydują się wasze losy! Prześpicie ten moment! Właśnie teraz nadszedł czas, żeby uderzyć! To jest ten moment, którego nie możecie przegapić!

Jason popatrzył prosto w oczy każdemu z nich. Wiedział, że bije od niego pewność i niezłomność, o jaką sam siebie nigdy by nie podejrzewał. Musiał się na nią zdobyć w obliczu zagrożenia.

Kar wahał się. Zamilkł. Rozważał coś. Widać było, że dotknęły go słowa Willisa.

– A może chcieliście się tak bawić w nieskończoność? – Jason zmienił ton. Mówił spokojniej. Wiedział, że to też może odnieść skutek. – Dla uspokojenia własnego sumienia? Jedna kopia za drugą. Zbieranie informacji... Po co wam one? Nie oszukujmy się. Jesteście zbyt słabi. Modliliście się w duchu, żeby ten moment nigdy nie nadszedł, żebyście nie musieli...

– Dosyć! – Kar podniósł głos. W jego oczach pojawił się groźny błysk. – Przekonaj nas, że to właśnie ten decydujący moment. Jeśli ci się uda, likwidowanie twojej kopii nie będzie konieczne!

– Global Genetics został powołany przez władze ziemskie rok po zakończeniu wielkiej wojny... – Jason zamknął oczy. Strach odszedł, słowa przychodziły same. – Głównym zadaniem tej międzynarodowej organizacji było odtworzenie flory i fauny zniszczonej planety. Tym zajmują się sztaby ludzi. Odtwarzają nasze środowisko krok po kroku.

– To wiemy! – zniecierpliwił się Edan.

– Wiecie też już, że Senat ziemski pozostawił sobie kontrolę nad Holdingiem Genetics w jednej najważniejszej sprawie... Istniało zawsze ryzyko, że pójdą krok dalej. Zaczną klonować ludzi...

– Chyba nie chcesz powiedzieć nam, że to robią? To ma być twoja rewelacja? Przecież wiemy o tym od dawna!

– Senat chce zamknąć Global Genetics. – Jason otworzył oczy. Przeszył świdrującym spojrzeniem Edana. – Zwierzęta rozmnażają się same. Rośliny znów zawładnęły tą planetą. Holding stał się niepotrzebny, a co gorsze, niebezpieczny. Sam Prezydent lada dzień podejmie decyzję i ogłosi ją na forum publicznym. Nie będzie ona przychylna dla Genetics...

– Do jakich wniosków to prowadzi? – zapytał Kar.

– Nie będzie tak, jak można by było się spodziewać. W najbliższym czasie nastąpi nagła zmiana stanowiska władz... – Jason uśmiechnął się. W tej chwili poczuł, że ma nad nimi przewagę. – Pokochają Global Genetics. Oddadzą w ich ręce największe uprawnienia, o jakich dotąd można było tylko marzyć. Global Genetics będzie niezależny, ich decyzje będą niepodważalne. Będą robić to, na co mają ochotę!

– Jak to możliwe? – zapytała Sara. Oparła się ciężko o łóżko Willisa.

– Co mówiliście o kopiach, Saro? Są użyteczne? Łatwo je zaprogramować? – Jason zawiesił głos na ułamek sekundy. – Nie tylko wy doszliście do tych wniosków. Na Księżycu powstaje właśnie nowy Senat, nowy Prezydent.

Doskonałe kopie ziemskich deputowanych. Prawdziwe marionetki. Już niedługo dojdzie do podmiany. A wtedy Global Genetics będzie rządzić tym światem i nic na to nie poradzicie!

– To twoja kopia, Jasonie. – Sara wskazała przykrytą białym prześcieradłem postać leżącą na łóżku. – Dziś wypuścimy ją w miasto. Global przechwyci ją bardzo szybko.

– Co z nią... z nim... zrobią?

– Przebadanie go zajmie im przynajmniej jeden dzień... – zawahała się. – Potem zostanie zastąpiony kolejną kopią. Nie lubią pozbywać się dobrych i oddanych pracowników...

– Mogę? – Jason popatrzył na nią pytająco, dotknął prześcieradła.

– Jeśli musisz – odpowiedziała.

Zdecydowanym ruchem odrzucił materiał. Wydawało mu się, że był przygotowany na to, co zobaczy. Stało się jednak inaczej. Tego wrażenia nie potrafiłby porównać z żadnym innym. Po tysiąckroć widział się w lustrze, na zdjęciach, filmach wideo. Wydawało mu się, że zna swą twarz doskonale, że nie skrywa przed nim żadnych tajemnic. Jednak teraz patrzył jak na kogoś obcego. Wiedział, że między nim a leżącą na stole kopią nie ma najmniejszej różnicy. Był to doskonały obraz jego samego. Ten sam lekko przekrzywiony nos, uszy, grube brwi i pociągła broda. Te same ciemne włosy. Mimo to nie potrafił zrozumieć, że już dzisiaj leżąca przed nim postać ożyje i będzie całkowicie przekonana, że to ona jest Jasonem Willisem i nie ma drugiego takiego na świecie. Będzie odczuwała i myślała w identyczny sposób, w jaki myśli on. Ona po prostu będzie nim. Jak to możliwe, że dwie identyczne świadomości mogą być w dwóch różnych ciałach?

– Odejdźmy stąd! – szepnął. Zrobiło mu się niedobrze. Bał się, że zaraz zemdleje.

– Dobrze. – Sara okryła kopię prześcieradłem. – Kar chce omówić z tobą plan działania.

Ujęła go pod ramię i wyprowadziła z pomieszczenia. Znaleźli się znów w korytarzu. Białym, kłującym w oczy refleksami jasnych jarzeniówek. Minęli kolejne przejścia i bocznym korytarzem doszli do wzmacnianych metalowymi ćwiekami drzwi. Otworzyły się przed nimi same, wpuszczając ich do przyciemnionego pokoju.

Kar stał pośrodku pomieszczenia, przy długim stole zawalonym książkami, płytami i nieznanym Willisowi sprzętem. Czekał na nich. Wskazał im miejsca w miękkich fotelach i sam usiadł naprzeciwko.

– Mówiłeś, że ten czas nadszedł – odezwał się po chwili. – Że to właśnie ten moment, na który czekaliśmy...

– Wierzę, że tak jest – potwierdził Jason.

Kar wyciągnął z kieszonki na piersi paczkę papierosów.

– Poczęstowałbym cię, ale wiem, że nie palisz – powiedział.

– Nie palę – potwierdził Willis.

– Działamy od dawna. – Kar zaciągnął się dymem. – Powstaliśmy jako głęboko zakonspirowana komórka rządowa...

– Domyślam się. – Jason poczuł w nozdrzach ostry, drażniący zapach. – Potraficie to, co Global Genetics... Tworzycie doskonałe kopie... Ktoś wam na to pozwolił. Bez poparcia nie byłoby to możliwe. Pytanie. Jak głęboko jesteście zakonspirowani?

– Głęboko. – Kar zamyślił się. – Sprawa jest bardziej skomplikowana, niż myślisz. Wie o nas kilku senatorów i Prezydent. Działamy na granicy legalności. Global wciąż ma potężne wpływy i wielu ludzi w kieszeniach. Senat jest podzielony. Stara gwardia przesiaduje w nim od kilkudziesięciu lat. To oni stworzyli Global Genetics. Zaczynają jednak tracić przewagę.

– Zdemaskujcie więc Global Genetics. Teraz macie dowody!

– Jakie? – Kar nachylił się w jego stronę, wypuszczając nosem kłęby dymu. – Twoje zeznanie? Twój zapis pamięci? Przecież wiesz, że można go stworzyć i zmodyfikować w sposób, jaki się tylko zechce.

– Wyślijcie wojsko na Satelitę. Niech wejdą do fabryki i sami się przekonają!

– Do użycia wojska i innych służb potrzebna jest zgoda dwóch trzecich Senatu! – Kar zrzucił popiół na przetarty dywan.

– Może tu też trzeba zaryzykować? – zauważył Jason. – Sam mówiłeś, że stara gwardia traci przewagę.

– Są jeszcze wystarczająco silni, żeby nam przeszkodzić. Mało czasu – Kar znów zaciągnął się dymem – zbyt wielu niezdecydowanych.

– No nie wiem... To może wyślijcie swoich ludzi – Willis myślał głośno. – Niech zbiorą materiały i przedstawią je Senatowi i Prezydentowi?

– Mamy na to czas? – Kar spojrzał mu głęboko w oczy. – Czy mamy na to czas, Jasonie?

– Nie.

– No właśnie! – Kar odpalił kolejnego papierosa. Niedopałek rzucił na podłogę i przydeptał butem. – Musimy użyć innych środków. Skutecznych.

– Skutecznych?

– Musimy zniszczyć fabrykę na Księżycu. Zebrać dowody i opóźnić działania Global Genetics. Musimy dać sobie więcej czasu!

– Kto tego dokona? Przecież to nie ma najmniejszych szans!

– Miałem nadzieję, że nam pomożesz? – Kar spojrzał na Sarę, jakby chciał jej powiedzieć: „A nie mówiłem?".

Jason nie dał się zbić z tropu.

– Wiem, gdzie jest ich tajny Techlab – powiedział. Spodziewał się, że ta chwila nastąpi. Decyzję podjął już wcześniej. – Wiem, jak tam trafić...

– A więc postanowione! – krótko skomentował Kar i podniósł się z fotela.

– Co postanowione? – zapytał Willis, choć wiedział, co teraz usłyszy.

– Polecisz ty i Edan. Nie możecie na siebie zwrócić uwagi. Doprowadzisz Edana do Techlabu. On będzie wiedział, co zrobić dalej!

– Ale czy to zakończy sprawę? – Jason miał poważne wątpliwości.

– To będzie początek. Początek końca Global Genetics. Dostarczycie dowodów, jakich nam trzeba. Będziemy mieli czas, żeby zmienić sytuację tutaj, na Ziemi.

– Kiedy wyruszą? – zapytała milcząca dotąd Sara.

– Dziś, Saro. – Kar uśmiechnął się. – Ekipa technicz-
na kończy przygotowania. Będą gotowi za godzinę.

Jason znalazł się w hangarze. Nie odstępował Sary nawet na krok. W dalszym ciągu miał nieznośne uczucie,
że wszystko wokół niego dzieje się zbyt szybko.

Po raz pierwszy, odkąd tu trafił, zobaczył wokół siebie tylu ludzi. Krzątali się, nie zwracając na niego najmniejszej uwagi. Każdy pochłonięty był swoimi zadania-
mi. Przygotowywali mały transportowy statek do lotu.
Zmieniali oznakowania, napełniali zbiorniki paliwem,
wnosili sprzęt, którego Jason nie potrafił nawet zidenty-
fikować. Wrzało tu jak w ulu.

– Przedostaniecie się na Satelitę starym handlowym
szlakiem – mówiła Sara, także obserwując przygotowania. – Nikt nie będzie was niepokoił.

– Obserwują przecież na bieżąco przyloty i odloty
z Księżyca – zaniepokoił się Jason. – Mogą zatrzymać
nas w każdej chwili.

– Nie zatrzymają. – Uśmiechnęła się do niego. – Ten
transportowiec należy teraz do Moon Mine Company.
Mają ważną licencję na wydobycie surowców. Nawet jeśli będą chcieli was skontrolować, w co wątpię, wszystkie
papiery są w porządku.

– Nie będą sprawdzać, kto podróżuje statkiem?

– Nie robią tego – jej głos uspokajał. – Mają dostępną listę załogi. A twoja tożsamość zostanie zmieniona
na czas lotu.

– Tak? – zainteresował się Jason.

Sara przywołała do siebie jakiegoś mężczyznę. Wysokiego, chuderlawego brodacza z krzywym uśmiechem. Przejęła od niego szary pakunek.

– To twój kombinezon pracownika firmy – podała mu zawiniątko. – Nowe dokumenty są na statku. Edan będzie miał do nich dostęp. Gdyby cokolwiek się wydarzyło, wie, jak postępować. A ty po prostu zachowuj się zwyczajnie.

– Jak pracownik firmy wydobywczej? – zapytał, odwijając pakunek.

– Dokładnie. – Wesołe ogniki zabłysły w jej oczach. – Jakbyś całe życie spędził w kopalni.

– To chyba nie będzie trudne – powiedział, krytycznie spoglądając na szary kombinezon z wyhaftowanym logo Moon Mine Company na plecach. – Sam Peatock? – odczytał napis na kieszonce. – Nie mogliście wymyślić czegoś lepszego?

– Coś ci się nie podoba? – zachrypiał brodacz.

– Nie rozumiem? – Jason uśmiechnął się głupkowato.

– Czego nie rozumiesz? Mam ci to przetłumaczyć? – Brodacz miał wyraźny szczękościsk. Nozdrza rozchyliły mu się niebezpiecznie. – Matka dała mi Sam po dziadku! Nikt dotąd nie wnosił zastrzeżeń!

– No już. – Sara poklepała brodacza uspokajająco po ramieniu. Stanęła między nim a Willisem, jakby bała się, że zaraz dojdzie do rękoczynów. – Jason miał na myśli przebranie. Na pewno nie chciał cię urazić.

– Pewnie, że nie – zająknął się Willis. – Zastanawiałem się tylko, czy nie ma innego sposobu...

– Nieważne – warknął brodacz. – Zakładaj i sprawdź, czy pasuje. Tą trasą latamy od zeszłego stulecia. Nie powinni się interesować ani tobą, ani ładunkiem.

– Dziękuję. – Jason zrzucił błyskawicznie buty i naciągnął kombinezon na ubranie. Czuł, że płoną mu policzki i uszy. Nie potrafił przezwyciężyć tego odruchu. – Jestem bardzo wdzięczny za pomoc.

– Pasuje? – Sam Peatock przerwał mu. Zaciągnął pas kombinezonu Jasona z taką siłą, że ten aż jęknął. – Zapnij teraz zamek.

– Próbuję – sapnął Jason, siłując się z zapięciem.

– Czekaj. – Sam złapał uchwyt zamka i pociągnął z całej siły do góry. Zęby Jasona zadzwoniły, gdy wielka jak bochen pięść brodacza uderzyła w nie od spodu. – No, teraz lepiej! – zauważył Peatock, puszczając oko do Sary.

– Pewnie, że lepiej – mruknął Jason, sprawdzając językiem, czy szczękę ma na miejscu. – Pasuje jak ulał! – Na dowód zamachał ramionami i zrobił przysiad. Za nic nie przyznałby, że ledwo mieści się w kombinezonie. – A co teraz?

– Teraz pójdziesz ze mną – powiedziała Sara, patrząc na niego ze współczuciem. Chwyciła Jasona za rękaw kombinezonu i pociągnęła za sobą.

– Do widzenia, Sam. – Willis próbował się uśmiechnąć, wymijając brodacza.

– Na długo się nie żegnamy! – Peatock zaśmiał się donośnie, robiąc mu przejście. – Lecimy razem. Tak szybko się mnie nie pozbędziesz, przyjacielu!

– Świetnie – jęknął cicho Jason, odwracając się z wyrzutem do Sary.

Kobieta nie zareagowała, w ogóle unikała wzroku Jasona. Skierowała się w stronę statku. Wyraźnie było widać, że stara się wyminąć grupki ludzi, którzy zakończyli właśnie prace przy załadunku.

Zbliżyli się do rampy przy głównej śluzie transportowca. Kar i Edan już na nich czekali. Ten drugi machnął wesoło dłonią do Jasona. Willis skopiował nieudolnie ruch, uśmiechając się krzywo.

– To co? Nie ma na co czekać? – Edan nie ukrywał podniecenia. Jego oczy były ruchliwe i błyszczące. Nie mógł nawet ustać w miejscu, przestępował z nogi na nogę.

– Na pewno nie obejdzie się bez problemów. – Ze słów i postawy Kara przebijał spokój i opanowanie. Całkowicie różnił się od swojego współpracownika.

– Mam was tam po prostu doprowadzić – Jason powtórzył mimowolnie słowa, które słyszał w ciągu ostatniej godziny po tysiąckroć.

– Tak. Resztą zajmie się Edan. – Kar uśmiechał się nieznacznie. – Wszystko powinno się udać, Jasonie. Nie musisz się obawiać.

– Co, jeśli tej bazy wcale tam nie ma? Co, jeśli stworzyli w moim umyśle fałszywy obraz miejsca? – Willis postanowił w końcu podzielić się z nimi swoimi wątpliwościami. Musiał je z siebie wyrzucić. Powoli zatruwały mu umysł. Był im to winny. – Mówiliście, że mogą wtłoczyć do mojego umysłu każdą informację, jaką tylko chcą. Może przewidywali, że wydarzy się coś takiego?

Kar milczał. Edan zamarł, blask w jego oczach wyraźnie przygasł.

– Sam mówiłeś, że to jest właśnie ta chwila, Jasonie. – Kar położył dłoń na jego ramieniu. – Też tak myślę. Musimy podjąć ryzyko. Bo jeśli nie teraz, to kiedy?

Jason skinął głową. Doskonale to rozumiał. Zresztą teraz był pewien, że Kar był na tyle rozsądny, by wziąć każdą możliwość pod uwagę.

– Życzę wam powodzenia. – Mężczyzna uśmiechnął się, uścisnął Edana i Jasona.

– Przyda się – szepnął Willis i odwzajemnił mocny uścisk dłoni.

– To jeszcze nie wszystko. Mam mu coś do przekazania – powiedziała Sara, najwyraźniej myśląc o Jasonie.

Kar skinął głową na znak, że się zgadza, i zszedł z rampy. Edan pożegnał się z Sarą i zniknął we wnętrzu statku.

– Chcę, żebyś wiedział jedno. – Sara wahała się, starannie dobierała słowa. – Nie jesteśmy tacy sami jak oni...

– Jak oni? – zapytał Jason.

– Tak. – Kobieta popatrzyła na niego z powagą. – Możesz mieć wątpliwości, żeby określić, kto tu jest zły, a kto dobry. Zwłaszcza po tym, co ci robiliśmy...

Spojrzał na nią z napięciem. Jej oczy przypomniały mu coś. Wywołały dziwne uczucie, którego jeszcze nie potrafił zdefiniować.

– Zrobisz to, co uważasz za słuszne... – Zbliżyła się i delikatnie pocałowała go w policzek. – Wiem, że nam pomożesz.

– Co chcesz mi powiedzieć? – zapytał, z trudem przełykając ślinę.

– Wiem, że mogę ci zaufać – powiedziała, ignorując jego pytanie. – Nie zawiedź nas.

Odwróciła się. Zeszła z rampy i wolnym krokiem opuściła hangar.

Kolejne wspomnienia przyszły falą. Mdłości zgięły go wpół. Odczuł je zaraz po starcie. Przypięli go pasami do fotela. Teraz musiał je poluźnić. Ucisk na żołądku mógł się skończyć gwałtownymi konwulsjami.

Spróbował głęboko odetchnąć. Nie potrafił. Do oczu napłynęły mu łzy. Przymknął powieki, zapadając w stan półsnu. Elisabeth. Mieli razem zjeść kolację, potem wrócić do domu. Teraz jej nie ma.

Poczuł ucisk w klatce piersiowej. Rwący, palący ból. Po policzkach spłynęły mu łzy. Dopiero teraz wszystko do niego dotarło. Zrozumiał, że jej już nie ma. Stracił ją.

Wcześniej była to tylko informacja trzymana gdzieś głęboko w pamięci, w odległych zakamarkach mózgu. Niepowiązana z żadnymi emocjami. Jak kilka stron danych zapisanych na kartce papieru, włożonych w tekturową teczkę i upchanych w szafie z tysiącami innych akt. Jednak coś się zmieniło. Zrozumiał. To nie było czyjeś wspomnienie, obca, niezrozumiała myśl. To wspomnienie należało do niego i było jego częścią. Nie bolało mniej, nie można było o nim zapomnieć, oddalić go od siebie. Uderzyło z siłą i precyzją, z jaką uderza w ludzi, którzy tracą najbliższą osobę na świecie.

Ból, złość, bezsilność. Nie mógł tego z siebie wyrzucić. Nie mógł wykrzyczeć, wydrzeć siłą z samego środka.

W tej jednej chwili dotarło do niego, że już nigdy więcej nie ujrzy Elisabeth.

– Dobrze się czujesz?

Jason rozpoznał głos, należał do Sama Peatocka. W pierwszej chwili chciał go zignorować, ale zrezygnował. Odetchnął głęboko i otarł pięścią policzki. Dopiero wtedy otworzył oczy.

– Ile jeszcze? – zapytał.

– Zaraz pierwszy punkt kontrolny – powiedział Sam. Unikał wzroku Jasona.

– Będą jakieś problemy?

– Nie sądzę. – Peatock usiadł na miejscu przy kokpicie. Wprowadził kilka danych do komputera nawigacyjnego.

– Przechodzimy przez automatyczną strażnicę. – Edan siedział na miejscu pilota. Wpatrywał się w ogromny iluminator, za którym błyszczały miliardy gwiazd. – Czekamy na zielone światło.

– Jest – zauważył głośno Sam, wskazując palcem odległy punkt.

Rzeczywiście. Jason teraz też to zobaczył. Dryfujący w powietrzu sześcian. Mały, z panelami słonecznymi rozczapierzonymi jak skrzydła nietoperza. Kilka anten i kopuła emitująca zielony, przerywany sygnał.

– Jest bezzałogowa – tłumaczył Peatock, wyglądało na to, że próbował zająć czymś myśli Jasona. Willis był mu za to wdzięczny. – Ma stare skanery i detektor. Przed chwilą sprawdzali nasz ładunek. To na wypadek, gdybyśmy szmuglowali zakazany towar...

– Satelita za piętnaście minut, panowie – zakomunikował Edan.

– Oczywiście jakby się chciało, to można przerzucić przez granicę wszystko – kontynuował Peatock. Uśmiechał się do siebie na jakieś wspomnienia. – W statkach jest kilka miejsc, które nadają się do szmuglu. Wystarczy je obudować stopem detorionu...

Głos Sama działał kojąco. Jason patrzył przez iluminator na gwiazdy. Odrzucał od siebie wszelkie myśli. Srebrny glob pojawił się najpierw w dolnym rogu ekranu, potem wolno przesunął z prawej strony na środek. Raził oczy.

Willis wpatrzył się w zacienione kratery i kaniony. Zmierzał tam. Już sam nie wiedział, czy po raz pierwszy, czy po raz drugi w swoim życiu. Coraz trudniej było mu odróżnić rzeczywistość od fałszywych wspomnień.

Kadłub przeszyło spazmatyczne drżenie. Silniki zostały wyłączone. Powoli osiedli na miałkim księżycowym pyle. Jason poruszył się niecierpliwie. Wiedział, że ta chwila w końcu nastąpi. Wreszcie mógł się uwolnić z krępujących go pasów. Drżącymi dłońmi rozerwał zapięcie i z trudem uniósł się z fotela.

To było dziwne uczucie. Ruchy, które wykonywał, były niepewne, niezdarne. Zatoczył się jak pijany w stronę Edana. Ten przytrzymał go za ramię, wskazując śluzę.

– Załóż skafander – powiedział. – Wsiądziemy do łazika i ruszymy w kierunku bazy.

– Czy na pewno wylądowaliśmy w dobrym miejscu? – Jason nie przestawał się martwić. Z każdą chwilą ich plan wydawał mu się bardziej szalony.

– To jest to miejsce, którego odczyt pobraliśmy z twojej pamięci – Edan odpowiadał cierpliwie, popychając przed sobą Willisa. – Nie martw się, jeśli nic tam nie ma, to zmienimy plany i wrócimy na Ziemię.

– Myślę, że jest – powiedział Jason. Nie dokończył jednak myśli. Był pewien, że coś znajduje się w tym miejscu, za wzgórzem, tylko niekoniecznie to, czego szukają.

– Sam, pomóż mu się ubrać! – Edan zdawał się nie dostrzegać jego rozterki.

Weszli do mniejszego pomieszczenia przy śluzie. Jasonowi kojarzyło się z garderobą, jaką miał u siebie w domu. Wnęka z półkami i metalowymi szafkami. Jedynie wyposażenie różniło się od tego, które znał. Tu równym rzędem, jedne obok drugich, wisiały kombinezony, hełmy i ekwipunek niezbędny do eksploracji planety.

– Masz, chłopie. – Sam rzucił w jego stronę obszerny, srebrny skafander. – Ten na pewno będzie pasował. – Zaśmiał się chrapliwie.

– Pomożesz? – sapnął Jason, próbując odgadnąć, gdzie jest przód, a gdzie tył kombinezonu.

– Pierwszy raz? – zdziwił się Peatock. – Szczur lądowy?

– Zgadza się – skrzywił się Jason. – Nie miałem okazji.

– Pakuj nogi tu. – Sam pochylił się, pomagając mu wciągnąć skafander. – A teraz zaciągnij to na barki...

Jason czuł, że robi mu się coraz bardziej gorąco. Wentylatory tłoczyły do pomieszczenia suche, zatęchłe powietrze. Pot spływał mu ciurkiem z czoła, gdy wreszcie uporał się ze skafandrem i butami. To jednak nie był koniec męczarni. Edan zbliżył się do niego z ogromnym hełmem. Przypominał szklane akwarium, które Jason otrzymał kiedyś w prezencie w pracy. Gdy zakładali mu go na głowę, oddychał panicznie, jakby zaraz miał stracić oddech. W końcu nastąpiło głuche kliknięcie, kombinezon napełnił się powietrzem, a Willis odczuł przyjemny chłód wewnętrznej klimatyzacji.

Edan i Sam błyskawicznie uporali się ze swoimi skafandrami. Wyglądało to tak, jakby nic innego nie robili przez całe życie. Podnieśli do góry kciuki ogromnych rękawic i przeszli do głównej śluzy.

– Na co czekasz, szczurze lądowy? Potrzebujesz specjalnego zaproszenia? Pakujemy się do łazika – szczeknął Sam w głośnikach ukrytych w hełmie Jasona.

Willis spojrzał przed siebie. Na rampie stał ośmiokołowy pojazd. Kupa żelastwa wzmacniana obręczami owiniętymi wokół kabiny pasażerskiej. Toporna konstrukcja bez drzwi, szyb czy dachu. Łazik przypominał Jasonowi niedokończony prototyp kolejki, jaką widywał w parkach rozrywki. Na Ziemi nikt nie potrafiłby go zmusić, żeby wsiadł do niej choć na chwilę.

Zbliżył się do pojazdu, próbując powstrzymać drżenie kolan. Zanurkował pod jeden z metalowych wsporników i zajął miejsce po prawej stronie Sama. Edan wskoczył na siedzenie przed nimi, to on był kierowcą. Uruchomił silnik za pierwszym razem.

Jason nie potrafił się rozluźnić. Próbował obrócić się, by zerknąć na luk bagażowy, ale utrudniał mu to hełm i skafander. Nie miał najmniejszego zaufania do tego pojazdu. Wiedział, że wiozą ze sobą ładunek zdolny obrócić w perzynę górę z ukrytym w niej Techlabem. Wizja pokonywania powierzchni Księżyca poprzecinanej mniejszymi i większymi kraterami nie napawała go optymizmem. Nie mógł spokojnie usiedzieć na miejscu.

Pod sufitem ładowni rozbłysły zielone światła. Pulsowały rytmicznie, dając im sygnał gotowości. Dołączył do nich krótki, urywany dźwięk. W tej chwili właz drgnął, powoli się obniżając. Jason wstrzymał oddech. Najpierw dostrzegł gwiazdy, a potem szarą, kłującą w oczy ostrym blaskiem powierzchnię. Rampa zadrżała, aż w końcu zastygła w bezruchu. Zjechali z niej, kierując się w stronę wzgórza. Milczeli. Edan podrygiwał na swoim krześle, próbując utrzymać w dłoniach stery. Kilka razy wjechali w jakieś wgłębienie, raz mało nie zagrzebali się w niewidocznej szczelinie. Kratery były wszędzie. Przykryte cieniem, zdradliwe. Trudno było odczytać ich głębokość. Przypominały bardziej miniaturowe wulkany. Wydawały się pozornie uśpione, jakby zaraz miały zadrżeć i wyrzucić z siebie tony gorącej magmy.

Pięli się stopniowo pod górę. Z każdym pokonanym metrem serce Jasona biło mocniej. Już niemal widział to miejsce, które przywołał w pamięci. Strome zbocze, niebezpieczne osuwisko z ledwie widocznym wejściem. Podstawę góry zaczynającą się od dziwnej owalnej doliny. Pamiętał zamaskowane lądowisko i drogę. Można było tam dojechać wprost do schowanej w mroku bramy. Byli coraz bliżej. Czuł to. Zaraz wszystko zobaczy na własne oczy.

– Jasonie! – Edan westchnął głośno. W słuchawkach zawtórował mu donośny, suchy trzask.

Jason już wiedział. Przed nimi, w dole, rozciągała się pusta przestrzeń. Szara skorupa poznaczona ospowatymi kraterami. Identyczna sceneria aż po horyzont.

– To miało być tutaj! – Willis panicznie szukał najmniejszego szczegółu, który mógł wydać mu się znajomy. – To niemożliwe, żeby...

– Zapisali w twojej pamięci błędne informacje – w głosie Edana słychać było rozczarowanie. – Jednak okazali się sprytniejsi. Za bardzo liczyliśmy na ich potknięcie...

– Może popełniliście błąd w odczycie? – Jason próbował wstać, ale opadł z powrotem na siedzenie. – Mogliście się pomylić?

– Nie. – Edan obrócił się w jego stronę. Jason nie dostrzegł jego twarzy za przyciemnioną szybą. – To są te współrzędne. Odtworzyliśmy je na podstawie lotu, jaki miałeś w pamięci. Pamiętasz? Leciałeś tu statkiem Global Genetics do Techlabu.

Jason pamiętał. Pamiętał bardzo wyraźnie. Teraz potrafił przywołać każdy szczegół tej wizyty. Każde wypowiedziane wtedy słowo.

Zamknął oczy. Nawet nie mógł ukryć twarzy w dłoniach, przeszkadzał mu ten cholerny ogromny kask.

– Coś się zbliża!

Krzyk Sama wyrwał go z otępienia. Jason popatrzył w bok. W ich stronę przesunął się ogromny cień. Nie potrafił określić jego źródła. Całkowicie przytłoczył ich swoim bezmiarem.

Edan szarpnął kierownicą. Łazik przechylił się niebezpiecznie na prawą stronę. Willis w ostatniej chwili uczepił się burty, chroniąc przed wyrzuceniem z pojazdu. Koła przemieliły piach, nie potrafiąc znaleźć oparcia. Maszyna jeszcze przez chwilę walczyła, a potem stoczyła się w dół, koziołkując i w końcu przewracając na dach.

Jason zdążył złapać się fotela, a mimo to uderzył bokiem w piekielnie twardą obręcz. Świat zawirował mu w głowie. Łazik jeszcze raz przekoziołkował, a potem znieruchomiał. Willis, leżąc na plecach, bezskutecznie próbował złapać oddech. Popatrzył w górę. Słońce wciąż przysłaniał jakiś kształt. Metalowa, lśniąca piłka. Rosła w oczach, pęczniała do granic możliwości. W każdej chwili mogła eksplodować w tysiącach ostrych kawałków.

Dopiero teraz zdefiniował ten kształt. Potrafił rozróżnić dolne wieżyczki przyklejone do kadłuba jak regularne wypustki. Rozpoznał silniki korekcyjne ustawione wokół poprzecznych żłobień, dostrzegł numer seryjny, a nawet nazwę. Widział brzuch statku należącego do Global Genetics.

Ciężki, masywny ścigacz zawisł nisko nad nimi. Świetlne szperacze skupiły się w jednym punkcie. Oślepiły Jasona. Stracił orientację. Próbował wstać, ale strach zupełnie go sparaliżował.

– Nie mogą nas dostać!

Z trudem wyłowił spośród trzasków przejmujący głos Edana. Ktoś poruszył się obok niego. To był Peatock. Jason widział, jak ten podrywa się na nogi i próbuje wygramolić z pojazdu.

– Nie wezmą mnie żywcem! – to był głos Sama. Zachrypnięty. Pełen szaleńczej determinacji.

Jason uniósł głowę. Widział, jak Peatock zanurza się w szarym piachu. Opada na kolana, wstaje i zaczyna biec.

Światła szperaczy przygasły. Pojawiły się za to dziwne błyski przy powierzchni. Kilka z nich eksplodowało niebezpiecznie blisko Sama.

Peatock nie zwracał na nie uwagi. Biegł dalej. Nienaturalnie wolno. Unosił się niemal w powietrzu, pokonując wielkimi susami kolejne metry. W końcu zatrzymał się, zaparł nogami i wystrzelił kilkakrotnie w stronę niewidzialnego przeciwnika. Odrzut szarpnął nim do tyłu.

Jason wyczołgał się z wozu. Nie widział Edana. Zobaczył za to niezliczone postaci zmierzające w stronę ich łazika. Kilka z nich znajdowało się kilkadziesiąt metrów od celu.

Peatock strzelał raz za razem. Nie wyrządzał jednak napastnikom najmniejszej szkody. Za to niebieskie błyski zbliżały się do niego. On także to zauważył. Próbował rzucić się w bok, zmienić pozycję, ale wtedy błękitna smuga dotknęła jego boku. Sekundę później gejzer ognia odrzucił go do tyłu, obejmując całą postać.

Jason chciał krzyknąć, ale nie wydobył z siebie nawet najmniejszego dźwięku. Czołgał się w miałkim pyle, próbując skryć za kabiną łazika. Wtedy dopiero zobaczył Edana. Klęczał zaledwie kilka kroków od niego.

– Wiedzieli, że tu będziemy. – Edan odwrócił się w jego stronę.

Ściskał w dłoni blaster. Jason widział tylko błyszczący w świetle reflektorów screener jego hełmu. Nawet teraz nie potrafił nic powiedzieć. Struny głosowe zacisnęły się z ogromną siłą. Wiedział, że Edan ma rację.

– Nie mogą mnie dostać. – Edan uniósł broń i wymierzył ją w swoją głowę. – Jest tu wszystko! Nie mogą się dowiedzieć!

Jason skulił się w sobie. Spodziewał się kolejnego błysku, stało się jednak zupełnie co innego. Blaster Edana wyskoczył mu z ręki i uniósł się błyskawicznie w górę, znikając z pola widzenia. Edanem wstrząsnął dreszcz. Próbował poderwać się na nogi, ale jakaś niewidzialna siła przykleszczyła go do ziemi, obalając na plecy.

– Pomóż mi! – sapnął Edan. Uderzał głową w skarpę, jakby chciał roztrzaskać swój hełm. Jego członki były nienaturalnie wygięte. Nie miał nad nimi władzy. – Pomóż!

Willis podźwignął się na nogi jak w transie. Obok niego leżała metalowa część łazika. Podniósł ją. Widział tylko leżącego przed nim mężczyznę. Nie docierały do niego żadne inne obrazy. Postąpił jeden krok, potem drugi. Nachylił się, ściskając w dłoni twardy przedmiot.

Wtedy ktoś wstrzymał jego rękę. Zakleszczył ją w żelaznym uścisku. Nie zdążył nawet zareagować. W jego uszach rozbrzmiały trzaski, a potem wyraźne słowa:

– Dobrze się spisałeś, Jason. Czas wracać do domu!

Świat wokół Willisa zawirował. Poczuł zapach migdałów, a potem stracił przytomność.

Fotel. To musiał być fotel. Miękki, wygodny. Jason trzymał dłonie na oparciach, wyczuwał dotykiem mięciutką skórkę. Wyobraził sobie nawet kolor mebla. Ciemny brąz. Co jednak robił w tym fotelu? Zasnął? Nie przypominał sobie, żeby w biurze miał skórzany komplet, ani w domu. W takim razie gdzie się znalazł?

Otworzył oczy. Zbyt gwałtownie. Światło było nieznośnie jasne, wwierciło się w mózg. Zamknął na powrót powieki. Nadal nie wiedział, co to za miejsce. W sumie oprócz tego światła nie dostrzegł nic innego. Teraz postanowił być ostrożniejszy. Opuścił głowę i ostrożnie uniósł powieki.

Dywan był czerwony, z jasnoniebieskim wzorem, nieregularnym szlaczkiem biegnącym po bokach, a potem kończącym się serpentyną na samym środku. Kilka metrów przed nim stało biurko. Widział drewniane, masywne nogi. Doskonałe, stare biurko, wykończone z dbałością o każdy detal.

Jason delikatnie uniósł wzrok. Za biurkiem ktoś siedział. Niemal w kompletnym bezruchu. Wpatrywał się w niego z dziwnym uśmieszkiem. Jedynie kłęby gęstego dymu krążące nad lampką i głową tej osoby zdradzały, że postać zaraz ożyje.

Nie mylił się.

– Jak się czujesz?

Znał ten głos. Charakterystyczna chrypka. Władczy ton nawykły do wydawania ciągłych poleceń.

– Może trochę wody?

Willis potrząsnął głową. Próbował zogniskować wzrok na ustach mężczyzny. Grube wargi, czerwone. Przy każdym poruszeniu zwijały się...

– Wszystko poszło zgodnie z planem, przyjacielu – mówił prezes Global Genetics, zaciągając się gęstym dymem. Klatka piersiowa falowała miarowo, uśmieszek nie schodził z twarzy. – Teraz już nic nie będzie nam stać na przeszkodzie. Zdusimy bunt w zarodku. Dzięki tobie!

– Dzięki mnie? – Jason z trudem wydobył z siebie głos. Z niedowierzaniem wpatrywał się w małe, ruchliwe oczka osadzone w nalanej twarzy grubasa.

– Musieliśmy mieć punkt zaczepienia. Zależało nam na tym człowieku. Twoje informacje i jego. Wiemy wystarczająco dużo. – Prezes nachylił się w stronę popielniczki stojącej na biurku. – Teraz krok po kroku wyłapiemy ich wszystkich. Potem już nic nie będzie stało nam na przeszkodzie...

– Żeby zastąpić wszystkich opornych klonami? – dokończył drżącym głosem Jason. Nie potrafił ukryć strachu. – W ten sposób chcecie kontrolować świat?

– To trochę bardziej skomplikowane, niż ci się wydaje. – Grubas wytarł brodę wierzchem dłoni, nie przestawał się uśmiechać. – Ale w jednym masz rację, wszystko wróci do normy. Będzie tak, jak było na samym początku. Popełniliśmy błąd, że pozwoliliśmy rozprzestrzenić się tak temu robactwu.

– Robactwu? – Willis zaśmiał się nerwowo. – Wszystko wróci do normy? Załatwią to klony marionetki? Władza nad światem? O to wam chodzi?

– Wytłumaczę ci to, Jasonie. – Z twarzy prezesa zniknął uśmiech. Uważnie wpatrzył się w Willisa. Po raz pierwszy można było w nim wyczuć napięcie. – A właściwie przypomnę. Przypomnę ci wszystko, co zapomniałeś.

Jasona ogarnął nagły chłód. Poczuł ucisk w żołądku. Nagle poraziła go pewna myśl, którą bezskutecznie starał się wyrzucić z umysłu. Panicznie bał się kolejnych słów.

– Dlaczego ze mną rozmawiasz? – zapytał. – Dlaczego jeszcze się mnie...

– Nie pozbyliśmy? – Prezes odchylił się na fotelu i popatrzył w sufit. Znów wypuścił kłąb dymu z cygara. – Bo tak się umówiliśmy. Taka była nasza umowa, przyjacielu.

Willis pokręcił głową. Znów nerwowo się zaśmiał. Poczuł, że pot spływa mu po czole i plecach.

– Tak, tak. Będę musiał ci to wszystko przypomnieć. – Prezes przeniósł wzrok z sufitu na ścianę nad kominkiem. Patrzył w jeden punkt. – Najpierw przypomnę ci moje imię i nazwisko. Gary Horkman, twój wspólnik i przyjaciel. Od tego zaczniemy.

– Nie rozumiem. – Jason próbował unieść się w fotelu, ale opadł bezwładnie z powrotem.

Mimowolnie popatrzył w miejsce, w które wpatrywał się prezes. Ścianę pokrywały obrazy i zdjęcia w złoconych, bogato zdobionych ramach. Było tam kilka pamiątek, nagród, certyfikatów, które spotykało się w wielu gabinetach jak ten. Jason jednak dopiero po chwili dostrzegł szczegóły, które zmroziły mu krew w żyłach. Tak. To on. Jego postać. Jego twarz na tych zdjęciach. Był na nich z Horkmanem, poklepywali się po plecach, najwyraźniej w bliskiej komitywie. Był też na nich sam, w letniskowym domku skrytym wśród drzew, w towarzystwie nieznanych mu ludzi. Ściskał dłonie, pozował do portretów, uśmiechał się, machał do obiektywu. Nie mógł mieć wątpliwości, nie było pomyłki. Z tych zdjęć patrzył Jason Willis, wysoki, uśmiechnięty, zadowolony z siebie mężczyzna.

– Jak to możliwe? – wysapał. Serce podeszło mu do gardła. Poczuł mdłości.

– Wreszcie przechodzimy do sedna sprawy. – Prezes uśmiechnął się uspokajająco. – Willis, jakiego znam. Rzeczowy i konkretny. Mój wspólnik. Współzałożyciel Globalu. Myślę, że szybko zrozumiesz...

– Mów – warknął Jason. Miał ochotę zacisnąć pięści, wyskoczyć z fotela i z całej siły przyłożyć w wielką twarz Horkmana.

– W porządku. – Gary nachylił się w jego stronę. Zgasił cygaro. – Tylko się uspokój. Zaczniemy od początku!

Willis popatrzył na niego w napięciu. Najchętniej wyrwałby mu teraz wszystkie informacje z gardła, natychmiast.

– Zbierzmy do kupy te wiadomości, które masz. – Horkman wyciągnął z pudełka kolejne cygaro. Odciął końcówkę i włożył je do ust. Najwyraźniej zanosiło się na długi monolog. – Oto co wiesz o naszej rzeczywistości. Rok 2132?

– Co rok 2132? – zniecierpliwił się Jason.

– Co wiesz o tej dacie?

– To co każdy!

– Niezupełnie. – Gary uśmiechnął się. Do zapalenia cygara użył staroświeckich zapałek. – Ta data to koniec świata. Koniec świata, który musiał wreszcie nastąpić. Koniec starego świata, a zarazem początek nowego! Jakże inny od tego, którego spodziewaliśmy się wszyscy...

– Wirus P – wysyczał Jason przez zaciśnięte zęby.

– Tak! Wirus P. Nigdy nie ustalono, kto go stworzył. 25 kwietnia został uwolniony. Skutki były fatalne dla całego globu...

– To wiem.

– Prawdziwa wersja wydarzeń jest inna, niż się spodziewasz. – Horkman nic nie robił sobie z tego, że Willis traci cierpliwość. Uśmiechał się. – Według wiedzy twojej i miliardów mieszkańców Ziemi Wirus P zniszczył doszczętnie florę i faunę tej planety, bezpośrednio nie zabijając ludzi. Miliardy zginęły później w skutek głodu i chorób...

– Co ma to wspólnego z oficjalną wersją?

– Global Genetics został powołany do życia po to, żeby odbudować to, co zniszczył człowiek – prezes ciągnął niezrażony. Zapatrzył się w ognik cygara. – Miało pomóc ocalałym, by wrócili do normalnego życia. W osiemdziesiąt lat odtworzyliśmy mozolnie gatunek po gatunku, niemal całą florę i faunę Ziemi. Wygląda na to, że nieźle się spisaliśmy...

– To wiem! Ale...

– Prawda jest bardziej bolesna, Jasonie. – Horkman popatrzył mu uważnie w oczy. Przestał się uśmiechać. – Chyba nie jesteś aż tak naiwny, by myśleć, że wirus, który zabił zwierzęta i rośliny, oszczędził ludzi? Na tej planecie nie przetrwał żaden organizm! Ani zwierzęta, ani rośliny, ani człowiek! Wirus P zabił wszystko i wszystkich. Wszystkich, co do jednego!

Willis pokręcił głową. Całe jego wnętrze buntowało się przed przyjęciem tej informacji. Coś mówiło mu, żeby zatkał uszy i próbował stąd wyjść. Nie był jednak w stanie tego zrobić. Siedział jak zaczarowany.

– Nie, to niemożliwe. Przecież istniejemy. Rozmawiamy ze sobą. Chyba że to sen? Mam się uszczypnąć? – powiedział. Wcześniej postanowił, że będzie milczał, nie weźmie udziału w tej grze, ale teraz przyjął warunki, jakie postawił mu Horkman.

– To nie będzie konieczne. – Gary zaśmiał się. Jego wielki brzuch zadrżał gwałtownie. – Nieliczni przetrwali. Zaledwie kilkaset osób. Ale nie na Ziemi, tylko tutaj, w bazie na Księżycu. Między innymi przetrwaliśmy ty i ja, nasi pracownicy...

– Nie wierzę ci. To nie ma sensu!

– Rząd spodziewał się, że może się coś wydarzyć. Jednak chyba w najgorszych koszmarach nie przypuszczano, że dojdzie do całkowitej zagłady. – Horkman podniósł się z fotela. Podszedł do kominka, ustawiając się bokiem do Jasona. – Projekt sfinansowano na długo przed wybuchem. Tak powstał Global Genetics, baza na Księżycu, Techlab. Prace badawcze szły pełną parą. Początkowo przewieźliśmy z Ziemi materiał genetyczny wymierających lub zagrożonych gatunków. Potem projekt rozszerzył się. Mamy tu prawie wszystko. Owady, których nazw nie jesteśmy w stanie spamiętać, wirusy, bakterie, grzyby! Mamy materiał genetyczny milionów ludzi, zebraliśmy go, zanim zabił ich Wirus P!

Jason milczał, patrzył na rozmówcę jak na upiora. Ten wpatrywał się w zdjęcia. Niektórych z nich dotykał, uśmiechał się, jakby coś sobie przypominał.

– To miało być zabezpieczenie. Najlepsze z możliwych... Taka mała kopia Ziemi w księżycowym laboratorium. A potem nadszedł ten dzień... – Prezes znów spojrzał na Willisa. W jego oczach pojawiły się dziwne błyski. – Zostaliśmy sami. Mogliśmy jedynie patrzeć, jak nasza planeta umiera. I umarła. Przez następne lata naszym jedynym celem było tam wrócić. Chcieliśmy ją odtworzyć. Nie taką, jaka była, Jasonie. Chcieliśmy stworzyć Ziemię doskonałą. Mieliśmy niezbędne narzędzia, by ukształtować ją na nowo!

Willis zaczynał myśleć chaotycznie. Drżały mu ręce.

– Od uwolnienia wirusa minęło osiemdziesiąt lat. To nie jest możliwe, żeby przywrócić Ziemię do życia! Na to trzeba było czasu! – krzyknął.

– Masz rację! W osiemdziesiąt lat jest to niemożliwe. – Horkman zaśmiał się głośno. – Potrzebowaliśmy na to setek lat, przyjacielu! Setek lat! Niczego jeszcze nie zrozumiałeś?

Włożył dłoń do kieszeni spodni, oparł się o kominek, nie przestając palić cygara.

– Czym jest czas? – mówił. – Oszukaliśmy go! Nawet ja nie jestem w stanie powiedzieć, która to twoja kopia, który klon z kolei... Faktycznie mamy teraz blisko pięćset lat, Jasonie. Wydaje ci się, że minęło ich osiemdziesiąt? To tylko złudzenie! Ludzie karmią się złudzeniami. Stworzyliśmy nową rzeczywistość dla tych, którzy mieli się narodzić, których powołaliśmy do życia. Dla nowego społeczeństwa... Mieli żyć w nieświadomości. To był nasz cel, dopóki nie zorientowaliśmy się, do czego to wszystko prowadzi!

– Jesteś szaleńcem. – Jason czuł się zamknięty w potrzasku. Tracił oddech.

– Wciąż tego nie widzisz? – Gary wrzucił wypalone cygaro do kominka. – Nie rozumiesz? Przecież ten świat znów dąży do zagłady! Do kolejnego Wirusa P! Poznałeś ich! To oni są szaleńcami. To fanatycy, gotowi na wszystko w imię fałszywej wolności. Oni nawet nie przypuszczają, kim są, kto powołał ich do życia i kto stworzył rzeczywistość, w której żyją. A przecież zrobiliśmy to my! My dwaj, Jasonie!

– I to daje ci prawo decydowania o ich losie? Dlaczego nie pozwolisz im żyć tak, jak tego pragną?

– Bo popełniliśmy błąd. – Prezes pokręcił głową, jego oczy były przekrwione, trawiła je dziwna gorączka. – Stworzyliśmy miliony samodzielnych, nieświadomych prawdy klonów. Pozwoliliśmy im się rozmnażać, rozprzestrzeniać do woli. A robią to szybko, Jasonie. Możesz mi wierzyć. Rozprzestrzeniają się jak robactwo! Tracimy całkowicie panowanie nad nimi. Uzyskali przewagę w Senacie. W Senacie, który stworzyliśmy po to, żeby mieć nad wszystkim kontrolę. W ten sposób odbierają nam władzę, krok po kroku. Musimy z tym skończyć!

– Co chcecie zrobić?

– Najpierw zniszczymy opozycję. – Horkman zawahał się, jakby dobierał słowa. – A potem...

– Ludobójstwo? – Jason zaśmiał się obłędnie. Teraz był zdolny do wszystkiego, pogrążył się w tym szaleństwie.

– Przecież oni są zwykłym produktem ubocznym! Potrafimy powstrzymać ich rozmnażanie. – Willis dopiero teraz zdał sobie sprawę, że Gary mówił o ludziach jak o laboratoryjnych okazach. – Powstrzymamy ten ich szalony pęd. Poczekamy, aż wymrą. To kwestia najwyżej stu lat! Co to jest dla nas sto lat, przyjacielu? To jak mrugnięcie okiem do ładnej dziewczyny!

Było coś w tych słowach, co całkowicie zmroziło Willisa. Znów poczuł w ustach smak migdałów, w oczach pojawił się świetlny, kłujący refleks.

– Tak jak Elisabeth? – wydusił z siebie. – W mgnieniu oka zniszczymy ich tak jak Elisabeth?

– Nie! – Horkman poruszył się niespokojnie. – Możemy to naprawić.

– Co naprawić? – Jason czuł, że jego pięści zaciskają się z ogromną siłą, aż trzasnęły stawy.

– To nie jest tak, jak myślisz. – Uśmiech prezesa miał być zapewne uspokajający. – To była niespodziewana komplikacja. Żaden z nas nie przewidział, że możesz się zakochać! Ale cóż, serce nie sługa!

Śmiech Horkmana był ordynarny, lubieżny.

– Serce nie sługa? – powtórzył cicho Jason.

– Przeszkadzała. W decydującej fazie mogła cię rozproszyć. – Gary szybko wyrzucał z siebie słowa. Chciał, żeby każde z nich dotarło do Willisa. – Musiało to wyglądać na wasz wypadek. Inaczej byśmy ich nie podeszli. Wiedziałem, że się skuszą, będą chcieli do ciebie dotrzeć przed nami i wyciągnąć informacje. Wszystko spreparowaliśmy tak, żeby zmusić ich do działania i do błędu.

– Ona zginęła! Zabiliście ją – krzyknął Willis. Nie panował nad swoim głosem. Znów drżał na całym ciele.

– Ty też zginąłeś, a jednak z tobą rozmawiam – w głosie Horkmana pojawiło się zniecierpliwienie. – Nie ma dla nas rzeczy niemożliwych. Wszystkie dane pamięciowe mamy w laboratorium. Możemy ją odtworzyć w każdej chwili. Specjalnie dla ciebie!

– Odtworzyć?

– Pewnie! Zrobisz sobie Elisabeth, jaką będziesz chciał! Sam wiesz... – Na twarzy prezesa pojawił się obleśny uśmiech. – Może nawet poprawisz co nieco?!

– I wszystko będzie jak dawniej?

– Tak. – Nie wyczuł ironii w głosie Jasona. – Zrobimy nowy raj na Ziemi! Będziemy panami tego świata! Czy wreszcie to zrozumiesz? Każdy chciałby być na naszym miejscu!

– Tak, każdy – potwierdził automatycznie Willis.

– Mamy plany! Wspaniałe plany – Horkman zapalił się. Miał wizję, którą teraz starał się podzielić z przyjacielem. – Wszystko przemyśleliśmy. Teraz nic nie będzie

nam stało na przeszkodzie. Stworzymy ten biblijny raj
sami! Doskonały świat. My będziemy decydować, kto
do niego wstąpi, a kto nie!

– To nasz wspólny plan? – Jason patrzył na rozmówcę
pustym wzrokiem. Tak wiele myśli krążyło teraz w głowie.

– To twój plan, Jasonie! Ja sam nie potrafiłbym tego
wszystkiego objąć rozumem. Jesteś geniuszem, trochę
szalonym, ale geniuszem!

– Ja to wymyśliłem – Willis mówił do siebie. Starał
się to wszystko zrozumieć, poukładać.

– Zaczniemy wszystko od nowa.

– To prawda! – potwierdził Jason, patrząc wspólni-
kowi w oczy. – Od nowa!

Horkman uśmiechnął się. Odczuł ulgę. Podszedł do
Jasona i mocno go uścisnął.

– Myślałem, że to będzie błąd, że się pomyliłeś, wy-
dając mi takie instrukcje. – Poklepał go po plecach. –
Przyznaję, przez chwilę zwątpiłem, ale jak zwykle miałeś rację!

– Nie rozumiem?

– O wiele prościej byłoby cię teraz unicestwić i odtworzyć takiego, jakim byłeś wcześniej. – Gary zawahał
się, czy mówić dalej. – Nowy klon, stara pamięć. Nie
musiałbym odbywać z tobą tej rozmowy, przekonywać
cię. Obiecałem ci jednak, że tak nie zrobię, wydałeś wyraźne polecenie.

– Dziękuję, że mi ufałeś i dotrzymałeś obietnicy –
uśmiechnął się Jason.

W jednej chwili wszystko zrozumiał. Teraz i on dostrzegł geniusz Jasona Willisa. Jason Willis pozostawił

mu wybór. Chciał mieć możliwość ostatniego rozdania kart i asa w rękawie. I Jason, jego powiernik, wiedział, co musi zrobić.

– Nowy porządek, naprawimy błędy przeszłości. – Uśmiechnął się do Horkmana i także po przyjacielsku klepnął go w plecy.

Już wiedział, od czego zacznie. Techlab. Najpierw zastąpi Gary'ego Horkmana posłusznym swojej woli klonem, a potem zlikwiduje tajne laboratorium. Nie miał wątpliwości. Doskonale wiedział, kto tak naprawdę jest tu produktem ubocznym.

Strzelin, marzec – czerwiec 2005

Chrononauta

Ekrany monitorów w pomieszczeniu kontrolnym fregaty Federacji raptownie ożyły. Rozbłysły jak wybuch supernowej, wprowadzając w życie kolejne procedury bezpieczeństwa. Odebrany sygnał został wzmocniony, a jego źródło rozpoznane. Czytniki poruszyły się, wypluwając pierwsze dane. Centralny komputer zebrał je i rozpoczął gruntowną analizę.

Hamowanie. Po raz kolejny w tej misji lot do macierzystego portu został przerwany. Silniki zadrżały, jakby sprzeciwiając się wprowadzonej korekcie w planowanym kursie. Statek, niczym drapieżnik przyczajony do skoku, ustawił się dziobem w kierunku planety. Komputery wciąż pracowały, po chwili wydały rozkaz wystrzelenia jednostek rozpoznawczych. Czarne automatyczne roboty wyskoczyły z brzucha fregaty, kierując się błyskawicznie w stronę źródła sygnału.

Nex wyłączył projektor. Odkaszlnął. W audytorium zrobiło się jasno. Zmrużył oczy, obserwując studentów siedzących wysoko w ławach. Miał nadzieję, że zrozumieli coś z jego wykładu. Z ich min trudno było cokolwiek wyczytać. Dopiero po chwili dostrzegł dłoń w górze. A jednak! Jeśli ktoś teraz nie oznajmi, że musi wyjść do toalety, odzyska wiarę w tych młodych ludzi.

– Słucham. Rozumiem, że macie państwo pytania?

– Poruczniku... profesorze...

Nex uśmiechnął się w duchu. Zawsze mieli ten sam problem. Nie wiedzieli, jak go tytułować, a on im tego nie ułatwiał.

– Mówimy dziś o zadaniach chrononauty – słuchacz odzyskał rezon, przestał się jąkać. – Chrononauta podróżuje w przeszłość. Trafiając tam, nie może jednak zrobić nic, co by naruszało bieg minionych wydarzeń. Zabraniają mu tego reguły fizyki kwantowej...

– Tak. – Nex westchnął ciężko. Właśnie stracił nadzieję, że jest w stanie odnaleźć inteligentną formę życia w tym audytorium. Jeśli miał to być jedyny wniosek, jaki wyciągnęli z zajęć ostatniego tygodnia, powinien pomyśleć o przejściu na emeryturę. Znów poczuł się tak, jakby zaczynał wykład od nowa. – Chrononauta może być jedynie biernym obserwatorem historii. Prawa fizyki nigdy nie zabraniały nam podróży w czasie. Jednak to sama natura zadbała o to, żeby człowiek, który odbył podróż, nie mógł zrobić nic, co by zakłóciło bieg zdarzeń już dokonanych.

Nex raz jeszcze spojrzał po twarzach studentów. Miał wątpliwości, czy cokolwiek do nich dociera.

– To tak, jakby być widzem w kinie – zniecierpliwił się. – Byliście kiedyś w kinie, prawda? Oglądaliście film, ale nie mogliście zmienić jego zakończenia. Nie mogliście wpłynąć na los żadnego z bohaterów ani zapobiec wydarzeniom, zwrotom akcji...

Kolejna dłoń pojawiła się w górze.

– Profesorze, doskonale to rozumiemy. Według mechaniki kwantowej zdarzenie już raz przez kogoś zaobserwowane nigdy nie może zostać zmienione. Wiemy też, że te same prawa uniemożliwiają nam podróże w przyszłość...

Nex popatrzył z zaciekawieniem na adepta. Znał go. Chłopak miał na imię Marten, dotąd nie rokował zbyt dużych nadziei.

– Znamy teorię – kontynuował Marten. – Uczymy się jej od lat. Interesuje nas bardziej praktyka. Przecież pan tam był. Proszę nam powiedzieć, jak to jest przenieść się w przeszłość, rozejrzeć dookoła.

– Jak to jest? – powtórzył jak echo Nex. – Nie rozumiem?

– To, że nic nie może pan zmienić – do pytań dołączyła słuchaczka z pierwszego rzędu. Ją też pamiętał, miała na imię Loren. Najlepsza na roku, zda z wyróżnieniem. – Tam, w przeszłości, może pan być tylko obserwatorem. A przecież tyle można by było naprawić, zapobiec tragediom...

– To jest niemożliwe – powtórzył spokojnie Nex. – Jeśli dokona się wybór jednej opcji wydarzenia i dojdzie ono do skutku, nie ma już szans na jego zmianę. Przeszłości nie da się zmienić. Przecież wiecie, że gdyby było inaczej, dochodziłoby do paradoksów.

– Czy to nie jest dla pana frustrujące? Nie wiem, jak ja bym zareagowała. Być tam i nie móc zapobiec wojnie, śmierci... – Dziewczyna spojrzała na kolegów, szukając u nich poparcia.

Nex zapamiętał, żeby anulować wyróżnienie student-ki. Loren najwyraźniej nie nadawała się do tej roboty.
– Chcecie być chrononautami... – Porucznik skrzyżował dłonie na piersi. Próbował opanować rosnące w nim zniecierpliwienie, ale z każdym rokiem przychodziło mu to trudniej. – Część z was zajmie się historią, badaniem przeszłości. Będziecie odkrywać i wydobywać z mroków dziejów to, co zapomniane, to, co niejasne. Sprawdzicie wszystkie fakty, odnajdziecie prawdę tam, gdzie nie pozwalają do niej dotrzeć inne źródła...
Popatrzył na nich ponownie. Na dziesiątki twarzy zwróconych w jego kierunku. Był pewien, że większość z nich oddałaby wszystko, żeby doczekać promocji.
– Nieliczni spośród was zajmą się tym co ja – powiedział. – Ludzkość musi uczyć się na błędach. Zbyt wiele ich popełniamy. Czas to poligon doświadczalny, z którego można czerpać garściami. Nie powołano nas po to, żeby zmieniać przeszłość, tylko żeby myśleć o przyszłości. Przez tysiące lat popełnialiśmy błędy, które konsekwentnie powielamy, nie pamiętając lub nie wiedząc o poprzednich. Teraz mamy szansę to naprawić. Wiedza o błędach przeszłości, o zagrożeniach z nich wynikających będzie gwarancją naszego bezpieczeństwa teraz i przez następne tysiące lat. To jedyne, co możemy zrobić.
– Jest pan pewien, że człowiek jest zdolny do uczenia się na błędach innych? – głos należał do cherlawego studenta siedzącego wysoko, niemal na końcu audytorium.
– Tak! Jestem pewien. – Nex poczuł wreszcie nić porozumienia ze studentami. – Co więcej, uczymy się nie

tylko na własnych błędach. Ta fregata ma specjalne zadanie. W ciągu ostatniego stulecia poznaliśmy przyczyny zagłady kilkunastu innych cywilizacji. Te obserwacje pozwoliły nam wielokrotnie uniknąć śmiertelnych zagrożeń na własnych planetach. Tak było chociażby z wirusem Magdan z planetoidy SR-4. Dzięki dokładnym badaniom poświęconym cywilizacji Argonitów opracowaliśmy surowicę niszczącą...

– Czy myśli pan, że technika pójdzie kiedyś naprzód i kwantowy grawiton zostanie zastąpiony przez jakiś inny, który pozwoli nam na zmianę przeszłości albo podróż w przyszłość?

Nex zacisnął szczęki, choć chętniej zacisnąłby palce na szyi najbliższego studenta. Szykował się do odpowiedzi, ale na szczęście w audytorium rozległ się dzwonek kończący wykład.

– Na jutro proszę przygotować referat o skutkach prób jądrowych cywilizacji Turnitów! – Nex podniósł głos, starając się przekrzyczeć ogólny harmider wypełniający salę.

Szmer niezadowolenia przyjął z nieukrywaną satysfakcją. Podszedł do biurka, by zebrać i uporządkować rozrzucone slajdy.

– Marten! – zawołał, widząc studenta przechodzącego w stronę wyjścia. – Marten, mam dla ciebie zadanie.

– Tak, profesorze? – Chłopak z ociąganiem zbliżył się do niego.

– Masz pojawić się za godzinę w laboratorium. Pomożesz mi przy grawitonie.

– Ja? – Marten zadrżał. Mało brakowało, a wszystkie książki, które trzymał w dłoniach, upadłyby na podłogę.

– Czy wyraziłem się niejasno? – Nex zmroził studenta spojrzeniem. Doskonale wiedział, co teraz czuje chłopak. Marten jako pierwszy na roku będzie mógł zobaczyć grawiton z bliska.

– Nie, profesorze! – Chłopak głośno przełknął ślinę. Kilka osób stojących za nim zaczęło w podnieceniu wymieniać między sobą uwagi.

– Za godzinę, Marten! – powtórzył Nex.

Jego wzrok przyciągnął sygnał przywoławczy. Czerwona lampka nerwowo zamrugała przy biurku. Obrócił się na pięcie i bez słowa opuścił salę.

RAPORT DO DOWÓDCY FREGATY „PARUS":
FRAGMENT OCALONEGO ZAPISU
MIEJSCE ODNALEZIENIA: PLANETA TYPU C
TREŚĆ:

Dzisiejsza noc upłynęła spokojnie. Wiatr ucichł przed świtem. Dryfujemy drugi dzień w stronę Ameryki Północnej. Bezmiar wód prędzej czy później będzie musiał nas pochłonąć. Próbuję ocalić od zapomnienia te tragiczne wydarzenia i przekazać przestrogę innym. Wielu poddało się, pogrążeni w apatii czekają na śmierć, inni korzystają z życia jak nigdy przedtem. Jakby nagle uświadomili sobie, że w ciągu tych kilku tygodni muszą nadrobić lata, których nie będzie dane im przeżyć. Są też tacy, którzy walczą. Ja walczę na swój sposób, chcę zapisać swoje myśli i jak rozbitek na bezludnej wyspie zakorkować w butelce, wierząc, że ktoś kiedyś je odnajdzie...

POZOSTAŁA CZĘŚĆ ZAPISU BEZPOWROTNIE
UTRACONA
ROZKAZ NUMER 4243 – POKŁADOWY
CHRONONAUTA – ODCZYT CZASOPRZESTRZENNY
MOŻLIWY. ZADANIE WYJAŚNIENIA PRZYCZYN
KATASTROFY. GRAWITON ODCZYTUJE SILNĄ
OSOBOWOŚĆ ROZBITKA. CZAS PRZEWIDYWANY NA
ODTWORZENIE WYDARZEŃ – 36 GODZIN

Nex dostał wezwanie bezpośrednio na pokład szósty. U komandora stawił się dziesięć minut później. Przeczucie, że jego pomoc będzie niezbędna, nie opuszczało go od chwili, gdy zbliżyli się do tego układu słonecznego. Planeta typu C, którą przed rozpoczęciem wykładu obserwował z pokładu widokowego, budziła w nim grozę i falę nieokreślonych doznań. Pamiętał wirujące kłęby chmur i błękit jednolitej wodnej powierzchni planety. Wiedział, że niegdyś glob tętnił życiem, miał wrażenie, że jeszcze całkiem niedawno.

Komandor Galagher obrzucił go ponurym wzrokiem. Nex znał dobrze to spojrzenie. Mógł spodziewać się wszystkiego, od wiadomości o inwazji oriońskich wizgonów do informacji o kwarantannie całego statku po wykryciu szczególnie złośliwego wirusa mutacyjnego.

– Usiądźcie, poruczniku. – Galagher sam rozsiadł się wygodniej w fotelu i sięgnął po cygaro. Ruchem dłoni zaproponował Nexowi, by ten także się poczęstował. Porucznik odmówił jednak zdecydowanym potrząśnięciem głowy.

– Zapewne wiecie, dlaczego zostaliście wezwani?

Nex powędrował wzrokiem za ognikiem zapalniczki, do ust komandora.

– Domyślam się, komandorze – odpowiedział, zajmując miejsce w fotelu.

– Wy, chrononauci, czasami domyślacie się zbyt wielu rzeczy! Nie mam racji? – Galagher wyszczerzył zęby w uśmiechu. Nie oczekiwał odpowiedzi. Wyglądało na to, że z trudem powstrzymywał się przed opowiedzeniem jednego z dosadnych żartów, których źródłem od lat byli tacy jak Nex. – Mamy tutaj poważną zagadkę, poruczniku. Nietypowe sygnały radiowe tej planety odbieraliśmy od bardzo dawna. Nie mieliśmy jednak o niej zbyt wielu informacji. Jedno było pewne, zamieszkiwały ją istoty rozumne. Jak pan widzi, coś jednak się wydarzyło.

– Co się wydarzyło, komandorze?

– Niech pan mnie nie rozśmiesza, Nex. Obaj dobrze wiemy, że zbadanie tej sprawy i wyjaśnienie okoliczności zagłady planety to już pańska działka.

– Zagłady?

– Nie udawajcie durnia, poruczniku! – Komandor wskazał na ekran monitora. – Nie ma tu ani skrawka lądu.

– Może żyją pod wodą? – Porucznik uśmiechnął się kącikiem ust. Z satysfakcją zauważył, że jako jeden z nielicznych potrafi w ułamku sekundy wyprowadzić z równowagi komandora.

– To także przyszło nam do głowy. Przeskanowaliśmy najgłębsze miejsca tej planety. Istot zdolnych do komunikacji nie ma! Jedyne pozostałości to te śmieci w kosmosie. Większość z nich przestała działać dziesiątki lat temu. Mamy nawet kilka trupów na czymś w rodzaju ich stacji orbitalnej. Nasi technicy przeszukują dane zapisane w pamięci sztucznych satelitów. Na razie nic nie znaleźli. Może pan będzie miał więcej szczęścia! Musi się pan wziąć do roboty i wybadać, co stało się z mieszkańcami tej planety! Zrozumiano?!

– Tak jest, komandorze! – Nex wstał i przepisowo wypiął pierś.

– Jeszcze jedno, poruczniku. Wczoraj przechwyciliśmy czarną skrzynkę.

– Czarną skrzynkę, komandorze?

– Dobrze pan usłyszał. Emitowała sygnał, który zwrócił naszą uwagę. Utrzymywała się na powierzchni wody. Była zapewne automatycznie sterowanym szybowcem. Uległa jednak uszkodzeniu. Właściwie dotarliśmy do niej w ostatniej chwili. Jeszcze kilka dni i zupełnie pochłonęłaby ją woda. Fragment zapisu został odtworzony przez nasze komputery. Nie mówi niemal nic. Nie jesteśmy nawet pewni, czy informacja zawiera jakiekolwiek wskazówki dotyczące zagłady planety. Wydaje się raczej, że jest to zwykły zapis z jakiegoś tonącego okrętu. Zapis, który cudem ocalał. Zawsze to jednak jakiś ślad na początek.

– Zajmę się tym natychmiast, sir!

– To dobrze. Zaczniecie od tego osobnika, którego głos pozostał w pamięci uszkodzonej skrzynki. Jeśli sprawa tajemniczego statku nie będzie miała związku ze sprawą, którą jesteśmy żywotnie zainteresowani, nawiąże pan połączenie regresyjne, czy jak tam wy mówicie...

– Regresywne, komandorze.

– Regresywne, z tymi umarlakami ze stacji orbitalnej!

– Jeśli to będzie konieczne... – Nex nienawidził sytuacji, które zmuszały go do konfrontacji z truposzami. Musiał wtedy ich dotknąć, a tego brzydził się najbardziej.

– Proszę rozwikłać tę tajemnicę. Zagłada całej planety nie zdarza się co dzień. Musimy wiedzieć, co się stało, by wyeliminować w przyszłości takie zagrożenie w układach podległych Federacji. Czy jest to zrozumiałe?

– Tak jest!

– Odmaszerować, Nex!

– Wejdź, Marten!

Nex wyczuł obecność chłopaka, nie poświęcił mu jednak nawet przelotnego spojrzenia. Wciąż pochylał się nad urządzeniem, które kilka minut wcześniej wniesiono do pomieszczenia. Dokładnie badał tytanową, jednolitą powierzchnię stożka. Wydawała się pozbawiona jakiejkolwiek emanacji psychofizycznej. Wiedział jednak, że to mylne wrażenie. Zawierała fragment zapisu, jedyną pozostałość po tętniącej życiem planecie.

– Co to jest, profesorze? – Marten stanął obok niego. Wpatrywał się błyszczącymi oczami w przedmiot.

– Czarna skrzynka, synu – powiedział Nex. – Roboty zwiadowcze wyłapały ją podczas lotu rozpoznawczego kilkanaście godzin temu. Znalazły ją na tej planecie, którą pewnie już zdążyłeś zauważyć.

– Planeta typu C – powiedział cicho chłopak.

– Tak. – Nex uśmiechnął się. – Widzę, że lekcje odrobiłeś. Za chwilę ją uruchomimy, a wtedy usłyszysz głos człowieka, który był świadkiem zagłady swojego świata.

– Mieszkaniec martwej planety. – Marten głośno przełknął ślinę. Zakręciło mu się w głowie. Był oszołomiony.

– Martwej? Taką się w tej chwili wydaje – powiedział Nex, wracając do oględzin urządzenia. – Właśnie na to i inne pytania musimy znaleźć odpowiedź. To zadanie chrononautów. Stajemy w obliczu zagadki, której rozwiązanie zależy od naszych zdolności. Jak wiesz, dotąd odnaleźliśmy już planety zniszczone przez wybuchy nuklearne, roztrzaskane przez asteroidy lub wymarłe z przyczyn mniej lub bardziej łatwych do wytłumaczenia...

– To tak jak w przypadku Turnitów? – zapytał Marten.

– Tak jak w przypadku Turnitów – potwierdził porucznik. Spojrzał na swojego studenta z większym szacunkiem. Miał dobre przeczucia co do tego chłopaka. – Ale tutaj mamy do czynienia z czymś zupełnie innym. Z czymś, czego nikt nie potrafił wyjaśnić. W mgnieniu oka cała cywilizacja runęła w gruzy. Pochłonął ją ocean wraz z miliardami istnień ludzkich, lądową fauną i florą. Co gorsze, najnowsze dane mówią, że planety nie można na nowo przywrócić do życia i skolonizować. Według wszelkich obliczeń gwałtownie traci swą masę...

– Proces destrukcji wciąż trwa? – zdziwił się Marten.

– Tak. – Nex wyprostował się, popatrzył uważniej na Martena. – Musimy dowiedzieć się, co jest tego przyczyną. I ty mi w tym pomożesz.

– Ja? – Marten cofnął się o krok. – Jak mam profesorowi pomóc?

Nex uśmiechnął się. Wskazał palcem grawiton. Decyzję podjął już wcześniej. Musiał sprawdzić, czy chłopak się nadaje.

Marten długo nie mógł znaleźć sobie wygodnej pozycji w grawitonie. W końcu ułożył się na leżance i dał znak profesorowi, że jest gotowy. Nex czekał na ten sygnał, momentalnie uruchomił procedurę startową, by student przypadkiem się nie rozmyślił. Metalowe spinacze automatycznie zacisnęły się na dłoniach i nogach Martena. Chłopak poczuł w pasie mocny ucisk przygniatający go do leżanki, ale nie wydał z siebie najmniejszego dźwięku. Po chwili został uniesiony w górę. Trzy magnetyczne obręcze stanowiące zewnętrzną powłokę urządzenia zostały wprawione w ruch. Zaczęły wirować. Z każdą sekundą obracały się szybciej, zmieniając obroty z pozoru bardzo nieregularnie. Nex wiedział, co teraz czuje chłopak. Miał nadzieję, że mimo braku doświadczenia wytrzyma ogromne napięcie mięśni, które towarzyszyło wzmocnieniu pola wewnątrz grawitonu. Na razie wszystko przebiegało zgodnie z planem. Marten przyjął spokojnie nieprzyjemne ukłucie w kark i pieczenie rozchodzącego się w rdzeniach płynu. Chwilę później obaj usłyszeli męski, mocny głos...

„Dzisiejsza noc upłynęła spokojnie..."

Nex przeniósł wzrok na monitory kontrolne. Wyłowił także inne dźwięki. Szum morza, skrzek ptaków i odgłos przypominający dzwon kościelnej wieży. W końcu całkowicie odizolował od nich głos mężczyzny i przesłał go do receptorów Martena. Chłopak poczuł, jak każde słowo przechodzi przez jego umysł. Przyswoił je jako własne i czekał. Nagle obraz pomieszczenia zamazał się zupełnie, znikły urządzenia, probówki i szafki. Gdy kilka minut później kontury przedmiotów znajdujących się wokół Martena przybrały znów ostre kształty, nie były tymi samymi, które widział wcześniej.

Nex odetchnął z ulgą. Przeskok nastąpił zgodnie z planem. Chłopak nawiązał połączenie. Patrzył teraz oczami tamtego człowieka. Wystarczyło wybrać moment, w którym osobnik wyczuł pierwsze symptomy katastrofy...

Stanisław Markowski wyszedł z domu wczesnym rankiem. Zaczynało świtać. Ulice były niemal zupełnie puste. Zszedł z chodnika na jezdnię i w tej chwili poczuł, że traci równowagę. Trwało to ułamek sekundy, ale zaniepokoiło go wyraźnie. Kiedyś zdarzyło mu się, że zemdlał w tramwaju. Uczucie było do tamtego bardzo podobne. Jednak teraz poczuł kolejny wstrząs pod nogami, a budynki przed nim zakołysały się, jakby uderzył w nie silny wiatr. Potem wszystko równie gwałtownie wróciło do poprzedniego stanu. Jedynie dziesiątki alarmów samochodowych i sklepowych rozdarły powietrze przejmującym wrzaskiem. Profesor nie był już jednym z nielicznych, którzy o tak wczesnej porze nie spali.

Mężczyzna zawahał się. Nie wiedział, co ma teraz zrobić. Coś mówiło mu, by wrócił do domu. Był pewien, że Wrocław nawiedziło trzęsienie ziemi, i to bardzo silne.

Było to o tyle zaskakujące, że cały teren uznany był za sejsmicznie nieaktywny. W Polsce dawno nie odczuwano tak gwałtownych wstrząsów. Obejrzał się za siebie. Dom, w którym mieszkał, wyglądał na nienaruszony. Być może ze ścian w mieszkaniu pospadały obrazy, a ze stołu zastawa śniadaniowa, nic więcej jednak nie mogło się wydarzyć. Syreny straży pożarnej i pogotowia towarzyszyły Markowskiemu aż do drzwi Instytutu Filologii. Do pracy doszedł piechotą. Nie chciał cisnąć się w autobusie z mrowiem podnieconych ludzi. Kolejny wstrząs zastał go w momencie, gdy przechodził korytarzem w stronę sali wykładowej.

Nex błyskawicznie zatrzymał maszynę. Złapał Martena za ramię, gdy ten osunął się z leżanki na podłogę. Chłopakiem wstrząsnęły dreszcze. Zwymiotował wprost na buty Neksa.

– Przepraszam, profesorze – wyjąkał.

– To nie twoja wina, chłopcze – wysapał Nex.

Marten z trudem złapał oddech. Kurcz w żołądku wydawał się skręcać mu trzewia. Przez chwilę nie wiedział, gdzie jest. Wciąż w uszach szumiały mu syreny pogotowia i straży pożarnej. Musiał przypomnieć sobie, że znajduje się na fregacie Federacji, na orbicie planety typu C.

– To nie twoja wina – powtórzył Nex. – Nie spodziewałem się tak dużego zestrojenia z tym człowiekiem.

– Tym Markowskim? – Marten przymknął oczy, próbował uspokoić oddech.

– Tak. – Nex usiadł obok niego, próbował go przytrzymać w pozycji półsiedzącej. – W takich wypadkach trudno jest oddzielić swoją osobowość od osobowości obiektu. Poziom zestrojenia jest zbyt duży. Jak się okazuje, między naszymi rasami nie ma niemal żadnych różnic w psychofizyce i podstawowych uwarunkowaniach.

– To zauważyłem, profesorze. – Marten głośno przełknął ślinę.

– Byłoby łatwiej, gdyby mieszkańcy tej planety mieli siedem kończyn, albo przynajmniej cztery pary gałek ocznych. – Nex poklepał go po plecach. – Różnice pozwoliłyby ci szybko odrzucić połączenie i powrócić do własnej świadomości.

– To wszystko było takie dziwne – Marten mówił coraz słabszym głosem. – Na wykładach mówił pan o bólu, ale tego nie da się opisać. Być tam to nie jest takie oczywiste i takie proste...

– To prawda, chłopcze. – Nex dotknął jego czoła. Było chłodne. Chłopak zaczynał dochodzić do siebie. – Ale chyba przyznasz mi rację, że właśnie te trudności są jeszcze bardziej intrygujące.

– Mówił pan, że to czarna skrzynka ze statku, ale ja byłem w jakimś mieście...

Nex zasępił się. Właśnie to nie dawało mu spokoju. Było zaskakujące i niezgodne z jego oczekiwaniami. Dokładnie zaprogramował grawiton, by ten przenosił Martena w chwile, w których badany osobnik wyczuwał pierwsze symptomy prowadzące do katastrofy. Zgodnie z założeniem chłopak powinien był odtworzyć wydarzenia ze statku, w których po raz pierwszy doszło do jakiejś nietypowej sytuacji. Wybuch, gwałtowny sztorm, uszkodzenie napędu, ewentualnie zaraza. Co jednak trzęsienie ziemi miało wspólnego z dryfującym statkiem? Pomyłka, czy może zapis z czarnej skrzynki nie dotyczył wcale problemów załogi z okrętem?

– Tak mówiłem, Marten. – Pokiwał głową w zamyśleniu. – Ale widocznie byłem w błędzie.

RAPORT NUMER 1 – GODZINA 10.00 – POŁĄCZENIE NAWIĄZANE. OBIEKT OBSERWOWANY – MIESZKANIEC PLANETY TYPU C – STANISŁAW MARKOWSKI. PROFESOR MIEJSCOWEGO UNIWERSYTETU. PRZENIESIENIE NIEZGODNE Z OCZEKIWANIAMI. TRAWERS DOKONANY W MOMENCIE TRZĘSIENIA ZIEMI. BRAK DANYCH NA TEMAT PRZYCZYN DRYFU, A POTEM ZATONIĘCIA OKRĘTU. TEZA – WSTRZĄS NA SKUTEK TRZĘSIENIA ZIEMI OKAZAŁ SIĘ SILNIEJSZY OD WSPOMNIEŃ ZWIĄZANYCH Z ZATOPIENIEM OKRĘTU. PODEJMUJĘ DALSZĄ PRÓBĘ WYJAŚNIENIA WYDARZEŃ ZAPISANYCH W CZARNEJ SKRZYNCE

Nex położył się w grawitonie. Kilkanaście minut temu odesłał Martena na pokład „Parusa II", bliźniaczego, szkoleniowego statku Federacji. Wiedział, że już mu się nie przyda i dalej nad tą sprawą musi pracować sam. Postanowił oddać chłopaka pod skrzydła swojego przyjaciela, chrononauty pierwszej kategorii. Dla studenta było to równoznaczne z promocją. W ciągu jednego dnia pozwolił mu przeskoczyć cały rok studiów. Marten dołączył do nowego projektu szkoleniowego dla młodych kadetów. Obsługiwanie grawitonu miał tam zapewnione na co dzień.

– Będą z niego jeszcze ludzie – powiedział do siebie Nex, uruchamiając procedurę startową.

Rozluźnił się, czekając na znajome odrętwienie. Grawiton został wprawiony w ruch. Kolejny raz wirujące punkty połączyły się w regularne linie. Po chwili wypełniły je jaskrawe kolory. Nex poczuł silne mdłości...

Stanisław z rosnącym przerażeniem oglądał zniszczenia w telewizji. Jeden z asystentów zamontował telewizor w audytorium. I tak nikt nie potrafił skupić się na swoich obowiązkach. Niewytłumaczalne ruchy tektoniczne powtarzały się niemal bez przerwy. Jakby tego było mało, zjawisko objęło cały glob. W tym momencie cztery gadające głowy na ekranie telewizora przerwały kłótnię. W studiu telewizyjnym zachwiały się ściany szczególnie mocno. Wcześniej wydawało się, że już niemal każdy przywykł do lekkich wstrząsów. Nie przeszkadzały one kolejnym geologom, profesorom i politykom przedstawiać własnego wyjaśnienia tego, co działo się na całej planecie. Teraz Markowski poczuł równie silne drżenie.

Wiadomości zostały przerwane szybkim obrazkiem korespondenta z Chin. Z tego, co zrozumiał profesor, a w co nie potrafił uwierzyć, przed kilkoma minutami zapadły się prowincje Guangdong, Guangxi, Hunan, grzebiąc setki milionów ludzi pod zwałami ziemi i wody. Profesor pierwszy raz w życiu żałował, że zdecydował się na wąską specjalizację literatury słowiańskiej. Gdyby był geologiem, albo chociaż fizykiem, wiedziałby może, co dzieje się z Ziemią i czy ten cały horror wkrótce się zakończy. Teraz przychodziły mu do głowy tylko różne wersje końca świata z powieści i nowel autorów ostatniego półwiecza. Sposobów, na jakie uśmiercano dzisiejszy świat, były tysiące. Jeden gorszy od drugiego. Stanisław powrócił do swoich obowiązków, postanowił więcej o tym nie myśleć.

– Poruczniku, powinien pan odpocząć! – Doktor podała Neksowi gazę, by ten opatrzył nią krwawiący nos. Chwilę wcześniej porucznik sam zgłosił się do jej ambulatorium.

– Wtedy zostałaby pani bez pracy! Nie pamiętam, żeby ktoś oprócz mnie i Martena potrzebował ostatnio pomocy lekarskiej. Za to ja mógłbym oddawać się pod pani opiekę każdego dnia...

– Bez głupich dowcipów! Jest pan osłabiony, a z takimi eksperymentami nie ma żartów!

Nex nie miał serca tłumaczyć Cerenie, że jego praca nie ma nic wspólnego z eksperymentami. Wolał uśmiechnąć się do kobiety, która podobała mu się, odkąd pamiętał. Zawsze wydawała się tajemnicza, pełna ciepła. A przecież gdyby zapragnął, mógłby poznać każdą chwilę jej życia od momentu narodzin. Znałby każdą jej myśl, uczynek. Miał możliwość zobaczyć świat jej oczami, ten sprzed dziesięciu lat, ten z wczoraj. Mógł nawet zobaczyć jej oczami siebie samego. Może właśnie dlatego nie chciał. Miała pozostać tajemniczą kobietą, w której kochał się bez pamięci.

RAPORT NUMER 2: GODZINA 18.00 – DRUGIE POŁĄCZENIE. TRUDNA DO WYJAŚNIENIA AKTYWNOŚĆ SEJSMICZNA PLANETY ZWANEJ ZIEMIA. SZCZEGÓŁY W ZAŁĄCZNIKACH A ORAZ B. BADANIA KONTYNUOWANE

Stanisław w jednej chwili stracił równowagę. Włosy uniosły mu się na głowie z przerażenia. Nie spodziewał się tego, co stało się w tej chwili. Miał wrażenie, że powierzchnia Ziemi gwałtownie uniosła się do góry, a potem nagle zapadła w dół. Uczucie podobne do tego w windzie, gdy podjeżdża się kilka pięter, a potem raptownie opada. Na wszelki wypadek profesor przez chwilę nie podnosił się z kolan. Czuł, że życie na tej planecie nieubłaganie zbliża się ku końcowi.

Grupka nieletnich rozbiła kamieniem wystawę sklepową na ulicy Świdnickiej. Wynosili ze sobą to, co wpadło im w ręce. W mieście było coraz niebezpieczniej. Ratusz, kościół św. Elżbiety i kilkanaście budynków przy placu Solnym i ulicy Kiełbaśniczej leżało w gruzach. Stanisław chyłkiem przekradał się przez niemal wymarłą dzielnicę, w kierunku domu swojego przyjaciela na Sępolnie. W końcu znalazł się na klatce schodowej małej poniemieckiej kamienicy. Otworzył drzwi i wszedł do

ciemnego pomieszczenia. Z trudem rozpoznał Bartłomieja Sawickiego. Starszy mężczyzna przemykał jak cień
z pokoju do pokoju, wykrzykując w podnieceniu niezrozumiałe słowa.

– Jesteś! Dobrze, że jesteś! – zawołał, gdy tylko ujrzał Stanisława.

Prąd wyłączono już dawno temu. Okiennice były za-
trzaśnięte. Na szczęście gospodarz zreflektował się i zapalił kilka świec, które dawały jako takie światło.

– Czułeś? Właśnie zaczęliśmy dryfować! – Bartłomiej
wciąż nie potrafił zapanować nad podnieceniem.

– Dryfować? – Markowski zadrżał. Obawiał się, że
z jego przyjacielem jest źle. Wyglądało na to, że zwariował.

– Tak! A myślałem, że od razu pójdziemy na dno!

– Nie rozumiem? – Stanisław zastanawiał się, jak zareagować. W tej chwili nie miał szans na wezwanie karetki pogotowia, zresztą i tak żadna by pewnie nie przy-
jechała.

– Przecież to jasne! Właśnie cały nasz kontynent oderwał się od podłoża i dryfujemy! Jak na jakimś pieprzonym statku! I tak mamy dużo szczęścia!

– Przecież kontynent nie może dryfować! – wykrzyknął Markowski, czując, że i jego ogarnia szaleństwo.

– No właśnie! Dlatego mówię, że mamy dużo szczęścia! Australia jest już cała pod wodą, podobnie Ameryka-
ka Południowa! U nas nastąpił przechył. Najpierw ode-
rwaliśmy się od Azji i Afryki. W ten sposób Hiszpania
i Francja, i niemal cały zachód Europy poszedł pod wodę.
Środkowa Europa na krótko się uniosła i to nas urato-
wało! Pod Polskę, Czechy i Słowację musiało dostać się
sporo powietrza. Naprawdę sporo! To właśnie ono utrzy-

muje nas na morzu, co ja mówię, na oceanie! Przyjacielu, pod nami tylko woda! Dużo wody!

– Zwariowałeś, Bartłomieju... Musisz odpocząć! – Markowski czuł, że drżą mu ręce. Nie panował nad swoim głosem.

– Nie, nie zwariowałem. Myślę, że to erozja. Coś stało się z warstwami, które przytwierdzały nas do podłoża. Może nie wytrzymały ciśnienia powierzchni Ziemi. Trudno znaleźć wyjaśnienie. Ale możemy mieć szansę, przyjacielu. Być może będziemy mogli tak dryfować jeszcze jakiś czas! Może nawet miesiąc?

– Miesiąc, a co potem? – mimowolnie zapytał Stanisław.

– Potem, potem! – Sawicki oburzył się, że przerwano mu interesujący monolog. – Potem pójdziemy na dno. Już się z tym pogodziłem, Staszku. Tobie radzę też to zrobić. – W tonie przyjaciela Markowski wyczuł troskę, której nie chciał słyszeć.

– Włączmy chociaż radio – postanowił przerwać złowróżbną ciszę, która nastała po tych słowach. To, co mówił Bartłomiej, zakrawało na całkowity absurd. Wciąż miał nadzieję, że wreszcie usłyszy optymistyczne wiadomości.

– Dobrze, jeśli chcesz, przyjacielu – Sawicki uśmiechnął się tak, jakby to Stanisław wymagał specjalnej troski, a nie on. – Zerknij do pawlacza, powinno tam być stare radio tranzystorowe, baterie znajdziesz w kredensie. – Gospodarz, mrucząc do siebie, poczłapał w stronę swojego gabinetu, zostawiając Markowskiego samego.

Stanisław poczuł zimne dreszcze na plecach. Przyzwyczaił się już do nieustającego wycia syren pogotowia, policji i straży pożarnej. Dopiero teraz uświadomił sobie, że od dobrych kilku godzin jedynymi dźwiękami, jakie do niego docierały, były odgłosy tłuczonych szyb, krzyki ludzi, lub nawet pojedyncze wystrzały z pistoletów. Świat pogrążał się w chaosie. Nikt nie panował nad tym, co się działo. Większość ludzi uciekła z miasta. Nieliczni, którzy pozostali, albo plądrowali co się dało, albo jak tonący deski chwytali się ostatniej nadziei, że nagle, jakimś cudem, wszystko wróci do normy.

Wreszcie odnalazł zakurzone radio pod stertą bezużytecznych gratów. Zamontował baterie i drżącymi dłońmi odszukał stację informacyjną.

Zachodnie i północne Niemcy pochłonęła woda. Granica południowa Europy kończy się na Alpach... Wraz z częścią Rosji i Turcji dryfujemy w kierunku południowy zachód, w kierunku Ameryki. Do kolizji może dojść w przeciągu kilkudziesięciu godzin...

Stanisław poczuł ból w skroniach. Momentalnie przestał rejestrować płynące z odbiornika słowa. Wydawało mu się, że zaraz przebudzi się z sennego koszmaru. Przecież to, co działo się w tej chwili, było czystym absurdem, wbrew logice, zdrowemu rozsądkowi i wszelkiemu prawdopodobieństwu. Poczuł silny wstrząs. Nie był jednak pewien, czy to ziemia ponownie zadrżała, czy też podłoga zatrzęsła się, gdy osunął się na nią bezwładnie...

Nex wpadł do pokoju komandora w szaleńczym tempie. Nie zdziwiłby się, gdyby ten wyrzucił go za drzwi. Komandor jednak tego nie zrobił. Patrzył uważnie na porucznika i nie odzywał się ani słowem. Nex szybko zdał sobie sprawę dlaczego. Nie musiał zgadywać. Dopiero teraz poczuł strużki ciepłej krwi sączącej się z nosa i uszu.

– Przepraszam, komandorze! – wycharczał, starając się dłonią powstrzymać krwawienie.

– Rozumiem, poruczniku. – Komandor pochylił się nad komunikatorem i nacisnął jeden z przycisków. – Lekarz do mnie, migiem. A pan niech spocznie.

Cerena opatrywała Neksa bardzo dokładnie. Odczuwał zadowolenie, widząc, że przejęta jest tak stanem jego zdrowia, jak i opowiadaniem. Komandor słuchał sprawozdania uważnie. Sztab ludzi z laboratorium i wojskowych wpatrywał się w chrononautę, nie chcąc uronić choćby słowa. Wszyscy zebrali się, by wysłuchać jego rewelacji.

– To zaskakujące! Doprawdy! – słychać było co chwila głośno wypowiadaną uwagę któregoś z profesorów, pociągających z namysłem długie siwe brody. – To zdumiewające!

– Panowie, podjąłem decyzję. Wracamy jak najszybciej do domu. Będziemy tam w przeciągu dwudziestu czterech godzin – Galagher odezwał się dopiero, gdy Nex zakończył swój raport. – W tym czasie musimy powrócić do kontynuowania połączenia z tym Ziemianinem.

– Komandorze – doktor wydawała się oburzona – muszę zwrócić uwagę, że nasz chrononauta jest...

– Wiem, droga pani – komandor zareagował zdecydowanie. Nex poczuł irytację, że dowódca przerwał Cerenie. – Doskonale to rozumiem. Niestety, nie możemy przerwać badań. Chcę, by po przylocie błyskawicznie została powołana ekipa badawcza, z którą powrócimy na tę planetę. Wyjaśnienie przyczyn zagłady Ziemi jest niezbędne! Poruczniku, czy jest pan w stanie dostarczyć nam wszelkich informacji z zapisu w momencie lądowania na naszej planecie?

– Nie będzie to łatwe, sir! Nie jestem w stanie kontrolować projekcji z przeszłości. Wspomnień osoby, która de facto już nie istnieje. Dochodzą do mnie jedynie strzępy najsilniejszych przeżyć, które doprowadziły do jej śmierci. Układają się chronologicznie i nie mogę ich przyspieszyć.

– Pytam, czy jest pan w stanie to zrobić?! – powtórzył cierpliwie komandor.

– Końcowy raport będzie gotowy w przeciągu dwudziestu czterech godzin, sir – odpowiedział krótko Nex.

Widział, że dowódca jest zadowolony. Jednak znacznie bardziej ucieszyło go to, że w oczach Cereny wciąż widział troskę. Większą niż zwykłą troskę lekarza o pacjenta.

Porucznik zdążył jedynie zjeść lekki posiłek w kantynie i znów został sam na sam z grawitonem. Czarna skrzynka leżała na stole podświetlonym słabą jarzeniówką. Spojrzał na nią badawczo. Jej powierzchnia pokryta była otworami, których wcześniej nie dostrzegł. Dotknął palcem chropowatego zakończenia jednego z nich. Nie był pewien ich funkcji. Wydawały się raczej nie pasować do konstrukcji. Przyszło mu do głowy jedyne wyjaśnienie. Być może laboranci pobrali próbki do analizy. Postanowił się tym nie przejmować. Miał jeszcze dużo do zrobienia.

Stanisław obudził się rano z piekielnym bólem głowy. Minęło trochę czasu, zanim otworzył oczy. Czuł wewnętrzny niepokój, którego źródła nie potrafił określić. Dopiero gdy zobaczył odrapany sufit mieszkania Bartłomieja, przypomniał sobie wszystko. Łzy napłynęły mu do oczu. Po chwili wstał i podszedł do okna. Otworzył okiennice i wyjrzał na zewnątrz. Zobaczył bezchmurne błękitne niebo. Piękny słoneczny dzień wdarł się do pokoju. Spojrzał na linię horyzontu. Ponad dachami ocalałych budynków dojrzał coś, co wprawiło go w osłupienie. Niesprecyzowany ruch, jakby tysięcy przesuwających się punktów. Obejrzał się. Był pewien, że widział gdzieś u Bartłomieja lornetkę. Kiedyś wieczorami przyjaciel podglądał sąsiadkę z budynku naprzeciwko. Wreszcie znalazł futerał obok telewizora. Wrócił do okna i spojrzał w dal. W pierwszej chwili nie potrafił wydobyć z siebie nawet słowa. Kręcił zapamiętale gałką ostrości. Ręce trzęsły mu się niewyobrażalnie, nie potrafił nad nimi zapanować. Nie było jednak wątpliwości. To, co widział Stanisław, było błękitnym morzem, po którym przesuwały się leniwie fale, uderzając o nowy brzeg. Markowski zaśmiał się głucho do siebie. Nie odczuwał już strachu, poczuł coś zupełnie innego. Fascynację żywiołem. Nad morze jeździł rzadko, lecz zawsze gdy tylko patrzył na błękitną toń, ogarniał go wewnętrzny spokój. Jeszcze wczoraj do brzegu miał ponad pół tysiąca kilometrów. Dzisiaj był niemal na wyciągnięcie ręki. Stanisław odłożył lornetkę i z mocnym postanowieniem skierował się do wyjścia.

– Staszku, czekaj!

Z tego wszystkiego Markowski zapomniał o przyjacielu.

– Weź to ze sobą. – Profesor wręczył Stanisławowi stożkowate, lśniące srebrnym blaskiem urządzenie. Okazało się bardzo lekkie.

– To szybowiec z czymś w rodzaju czarnej skrzynki, Staszku.

– Co chcesz, żebym z tym zrobił?

– Użyj tego. Będzie szybował setki lat, dopóki starczy mu energii. Nie zniszczą go burze i pioruny ani woda, ani deszcz.

– Wszystko kiedyś się rozpadnie, Bartłomieju, nawet ten szybowiec.

Sawicki zamilkł. Nie znalazł na to argumentu.

– Lepiej, żebyś ty go użył, przyjacielu. – Markowski westchnął ciężko, próbując oddać Bartłomiejowi urządzenie.

– Nie, nie. Nie wiedziałbym, co powiedzieć. Ty znajdziesz piękne słowa, ostatnie słowa ludzkości. Ja jestem zwykłym rzemieślnikiem. Dałem ci narzędzie. Wszystko, co robiłem do tej pory, jest tak bezużyteczne... Wybrałeś lepiej, Staszku, poznałeś piękno w słowach innych. Będziesz umiał je wyrazić, wiem o tym. Wierzę, że ktoś kiedyś dowie się o nas i pomyśli, że w gruncie rzeczy nie zmarnowaliśmy tego świata...

Nie odpowiedział. Miał na ten temat zupełnie inne zdanie. Uścisnął dłoń Sawickiego i wybiegł na klatkę schodową. Przez frontowe drzwi wyszedł na ulicę. Ruszył szybkim krokiem wzdłuż ściany budynku i skierował się na drogę wychodzącą z miasta. Nie zważał na zaczepki wyrostków. Nie próbowali go gonić. Widać znudziły im się już kradzieże, teraz i oni przeczuwali zbliżający się koniec.

Stanisław szedł szosą w rosnącym upale. Droga prowadziła równą strugą do linii horyzontu. Kończyła się raptownie w błękitnych wodach. Markowski pokonywał kolejne kilometry, zostawiając za sobą miasto, do którego nie tęsknił, zostawiając wszystko, co miał. Myślał o Sawickim, o przyjacielu, który nawet nie wiedział, jak bardzo się pomylił. Uznał Stanisława za godnego ostatnich słów, memento. A przecież Markowski nie wiedział nic o życiu. Znał tysiące recept szczęścia, tysiące przykładów głupoty. Znał je dobrze, analizował przez całe życie, siedząc w bibliotekach, wykładając. Z żadnej jednak nie wyciągnął wniosków dla siebie. Podstarzały fajtłapa w okularkach z grubymi oprawkami. Bez żony, dzieci, prawdziwych przyjaciół. Na realizację marzeń nie starczało mu czasu i energii. Z żadnej ze wskazówek, których udzielał innym, nie skorzystał. Nie miał z kim dzielić tych ostatnich chwil, jakie mu dano. Zmarnował swoją szansę.

Zatrzymał się.

Wcześniej nie zwrócił uwagi, że ziemia poprzecinana jest licznymi bruzdami. Można było wziąć je za rowy melioracyjne, ale w ich rozplanowaniu nie było jakiegokolwiek sensu. Biegły w różnych kierunkach, przecinały się wzajemnie. Jedne szersze i głębsze, drugie niemal powierzchowne. Gdzieniegdzie widać było ogromne dziury w ziemi prowadzące gdzieś w głąb. Stanisław stał właśnie teraz na skraju jednego z takich kanałów. Głęboki na dwa i pół metra przecinał asfaltową ulicę. Do drugiej krawędzi drogi Markowski miał około czterech metrów. W końcu zdecydował się pokonać tę przeszkodę. Powoli zsunął się na dno rowu. Rozejrzał się wokół siebie. Wyżłobienie było świeże. Nie widać było jego końca i początku. Jakby stanowiło drugą, niezależną drogę. Stanisław nie wiedział jednak, komu albo czemu służyła. Czuł się, jak na specjalnej rampie dla skateboardzistów. Wyprofilowane łagodnym łukiem ściany dochodziły stąd do samej powierzchni.

Nie zastanawiał się długo, ruszył pod górę, próbując przedostać się na drugą stronę asfaltowej drogi. Wspiął się z trudem, walcząc z ześlizgującymi się ze ścianki butami. Wreszcie wygramolił się na twardszy grunt. Ocean był już blisko. Mężczyzna poczuł łagodną bryzę świeżego, słonego powietrza.

Kątem oka zauważył ruch po prawej stronie. Jakby biały balon przesuwany po ziemi. Poruszał się szybko w stronę miasta. Podobny ruch widoczny był już niemal wszędzie na linii horyzontu. Nagle obok niego zatrzęsła się ziemia. Piasek i kamienie wystrzeliły do góry. Markowski z przerażeniem obserwował, jak spod powierzchni wysuwa się wielka czarna głowa zakończona potężnymi szczękami. Robak nie zwrócił na niego uwagi. Z trudem wydobył się na powierzchnię. Rozsunął kilkumetrowe szczęki i wgryzł się w ziemię. Połykał ją łapczywie, przesuwając się szybko w tym samym kierunku, z którego przybył pieszy. Markowski widział, jak ogromne cielsko segment po segmencie przesuwa się do przodu. Zwały ziemi przechodziły wzdłuż przezroczystego ciała, rozpychając robaka coraz bardziej. Rósł w oczach, stając się coraz dłuższy. Gdy wydawało się, że pęknie, z otworów na jego plecach wydobył się brunatny dym, który uniósł się w stronę słońca. Robak nie zareagował i kontynuował swoją wędrówkę w kierunku widocznych na horyzoncie domów.

Stanisław usiadł na trawie. Do jego stóp dochodziły niespokojne fale. Jakby niepewnie starały się uczepić gruntu i przesunąć dalej. Urządzenie leżało obok niego. Nie miało skomplikowanej budowy. Widniały na nim tylko dwa przyciski. Nagrywanie i aktywacja. Markowski spojrzał przed siebie. Niedługo na horyzoncie powinna pojawić się Ameryka. Zderzenie było pewne, jeśli wcześniej Europa sama nie pójdzie na dno. Ziemia trzęsła się już bez ustanku.

Stanisław nacisnął przycisk nagrywania. W tej chwili usłyszał dochodzący z oddali dźwięk kościelnych dzwonów nieprzerwanie bijących na alarm. Markowski zaczął mówić.

...*Ja walczę na swój sposób, chcę zapisać swoje myśli i jak rozbitek na bezludnej wyspie zakorkować w butelce, wierząc, że ktoś kiedyś je odnajdzie...*

Przerwał. Spojrzał na ziemię, na której siedział. Wcześniej nie zauważył drobnych otworków podobnych do tych, które zostawiają gąsienice. Wychodziły z nich małe różowe robaczki, wgryzając się łapczywie w ziemię. Niektóre odpoczywały na słońcu, jakby odżywiając się jego energią. Nie rosły tak szybko jak ich rodzice. Wydawało się raczej, że na coś czekają. Markowski popatrzył jeszcze raz na ocean. We wzmagających się falach, w których jeszcze niedawno widział niezrównane piękno, przesuwały się inne robaki. Zupełnie tak, jakby cieszyły się z obcowania ze słoną wodą.

Stanisław wyłączył przycisk nagrywania. Przez chwilę walczył z dominującym uczuciem, które mówiło mu, by tego nie robił. Doszła do tego wizja gwiazd, wirujących kłębów chmur i błękit jednolitej wodnej powierzchni planety. Poczuł rozpacz, ale miał wrażenie, że to nie było jego uczucie, lecz kogoś zupełnie obcego. Zwalczył te myśli. Uznał, że nie mają najmniejszego sensu. Memento nikomu nie jest potrzebne, a tym bardziej umierającej planecie.

Wcisnął przycisk aktywacji. Urządzenie uniosło się w górę. Przesunęło się nad powierzchnię wody. Słone fale próbowały go dosięgnąć, ale czarna skrzynka zdążyła zniknąć wysoko w błękitnym niebie. Markowski uznał, że pomysł Bartłomieja pozbawiony był sensu. Zdał sobie sprawę, że sam nie potrafi zmienić losów tego świata, a memento Ziemi i tak umrze wraz z nią.

Nex krzyczał. Krzyczał bezdźwięcznie. Krew sączyła się z jego ust i oczu. Widział Cerenę wbiegającą do pokoju. Zsunął się z leżanki grawitonu, próbując wskazać na czarną skrzynkę oświetloną szarą jarzeniówką. Upadając, zdążył dojrzeć w podłodze otwory przypominające te zostawiane w ziemi przez gąsienice.

– Nex! – głos Cereny dochodził do niego jak przez mgłę. – Już dokujemy na naszej planecie! Zaraz będziesz w szpitalu. Wszystko będzie dobrze, Nex!

Powoli podniósł powieki. Ostre światło drażniło oczy. Cerena pochylała się nad nim, jej spojrzenie było pełne

troski. Wydało mu się, że odczuwa wstrząsy. Nie mylił się. Pomieszczenie drgało, gorączkowo pulsowało.

Próbował wydobyć z siebie dwa słowa, słowa, które zawsze chciał jej powiedzieć, ale nie potrafił. Cerena uśmiechała się. Dotknęła jego czoła.

– Nie musisz mówić, ja wiem – szepnęła, całując go w usta.

Porucznik uchwycił jej dłoń i mocno uścisnął. Zastanowił się, ile czasu pozostało im na ginącej planecie. Widział oczami wyobraźni tysiące statków uciekających stąd w popłochu i panice. Każdy z nich zawlecze zarazę na inne światy. Stanisław Markowski nie wykorzystał swej szansy. Wraz z nim unicestwiony został nie tylko jego świat, ale i świat Nexa.

Cerena wciąż się uśmiechała. Nex nie mógł oderwać od niej wzroku. Wyczuł w pokoju czyjąś obecność. Był pewien, że nie są tu sami. Uśmiechnął się do siebie, a potem do nich, dając znak, że wie, że tam są. Miał nadzieję, że nauczą się na błędach innych, na jego błędach.

– Powodzenia, Marten – powiedział.

Przyciągnął do siebie Cerenę i mocno pocałował.

Strzelin 2002–2005

Śmierć to zwykłe marnotrawstwo materiału

Inspektor budowlany Jamal Smith znalazł się na miejscu około godziny ósmej rano. Wszedł ną piętro budynku po starych, zrujnowanych schodach. Rozglądał się uważnie, nanosząc niezbędne poprawki dotyczące rozkładu robót na kolejny dzień. Do jego obowiązków należało opracowanie planu wyburzenia obiektu. Na tym odcinku prace były opóźnione, a zadanie, przed którym stała nadzorowana przez niego ekipa, nie było łatwe. Budynek musiał być rozbierany ostrożnie ze względu na linię metra przebiegającą w niewielkiej odległości od ściany obiektu. W ubiegłym tygodniu dwie ekipy ustawiły rusztowania i wykonały próbne wykopy przy fundamentach. Rozbiórkę należało zacząć od dachu.

Jamal pokonał schody i wszedł do pomieszczenia na piętrze. Spojrzał w górę. Ktoś zdjął drewnianą podbitkę, wykorzystując ją najpewniej na podpałkę. Widać było uszkodzoną więźbę dachową, światło przedostawało się do pomieszczenia przez otwory po brakujących dachówkach. Przeszedł w głąb pokoju. Zatrzymał się przy oknie osadzonym w głębi wąskiej lukarny. Wyjrzał na tory prowadzące w stronę stacji Hatrows End. Na dworze było jasno. Zapowiadał się piękny dzień.

Smith zapisał coś w swoim notesie. Dotknął drewnianej boazerii ponad oknem. Deski były luźne, wydawało się, że lada chwila odpadną. Szarpnął jedną z nich. Oderwała się z suchym trzaskiem, pociągając za sobą kolejne. Odskoczył od ściany. Mało brakowało, a oberwałby w głowę. Machnął notesem, próbując rozproszyć unoszący się w powietrzu kurz. I wtedy to przyciągnęło jego wzrok. Leżało w niszy, którą odsłonił. Pudło. Płaskie i szare, z dziwnymi pokrętłami i metalowym przełącznikiem. Wyglądało jak stare tranzystorowe radio.

W dole za oknem przesunął się cień. Jamal dostrzegł kątem oka zbliżający się skład metra. Zwalniał. Oznaczenia przy torach ostrzegały o robotach rozbiórkowych. Inspektor podszedł do urządzenia. Przyciągało go w jakiś niepojęty, tajemniczy sposób. Uniósł dłoń i przesunął po jego powierzchni. Wydawało się, że ożyło pod jego dotykiem. Smith uśmiechnął się. Skarb na strychu. Zawsze o takim marzył. Nie zastanawiając się długo, przesunął przełącznik.

Andrew zjechał w dół chodnikiem przy czwartej przecznicy. Kółka toczyły się płynnie pod ciężarem ciała. Odbił się od betonowej płyty, zsunął z krawężnika i pognał przed siebie, w Chesnut Avenue.

Słońce już wstało. Przedzierało się złocistymi smugami pomiędzy parterowymi budynkami osiedla, oślepiając go, gdy przecinał skrzyżowanie.

Znów wjechał na chodnik. Zwinnie wyminął sąsiad-kę niosącą torbę z zakupami. Pogroziła mu wolną ręką z uśmiechem. Znał ją dobrze. Pani Erdwing często przy-chodziła do jego matki na kawę. Zdążył się już zoriento-wać, że kobieta zna wszystkie plotki z dzielnicy. Zasta-nawiał się, czy dzisiaj nie będzie jej ulubionym tematem. „Ten chłopak jeździ na złamanie karku! Skaranie boskie z nim, jeszcze kiedyś wjedzie tą deskorolką w kogoś i za-bije!"

Spojrzał na zegarek. Spóźni się. Zaraz odjadą bez nie-go. Odbił się mocniej od chodnika i przyspieszył. Wejście do stacji metra było na wyciągnięcie ręki. Nie zatrzymu-jąc się, wskoczył deską na poręcz i zjechał w dół. W ostat-niej chwili wyhamował na śliskich kafelkach i wrzucił bilet do bramki.

Wbiegł na peron. Tłum wcisnął się już do podziemne-go pociągu. Gdzieś z przodu zobaczył Johna i Sylwię. Po-machali mu. Nie miał szans, żeby do nich dobiec. Śmie-jąc się głośno, wpadł do ostatniego wagonika. Drzwiczki zamknęły się za nim z przeciągłym sykiem. Ruszyli.

Stanął obok kobiety czytającej książkę. Zerknął na okładkę. Łzawy melodramat. Miał nadzieję, że kiedyś zrozumie, dlaczego dorośli tracą czas na takie bzdury. Porzucona, zdradzona, pobita przez męża. Jemu wystar-czyło mydlanych oper w telewizji, które oglądała matka. Tysiąc sto pięćdziesiąt odcinków serialu, w którym po raz setny odnajdują zaginioną siostrę, odbijają męża ko-leżance z pracy lub zapadają w śpiączkę, znając jako je-dyni największą rodzinną tajemnicę.

Skład wyjechał z podziemi. Andrew znał ten odci-nek trasy bardzo dobrze. Kilka następnych stacji wybudowano na powierzchni. Zupełnie tak, jak w zwykłych pociągach. Podobno teren tutaj był zbyt podmokły, by w nim grzebać.

Słońce oślepiło go ponownie. Przedarło się przez brudne szyby wagonu. Dobry dzień na wyścigi, pomyślał. Miał dużą szansę na pierwsze miejsce. Mistrzostwa miasta zaczynały się tuż przed południem. Był rozstawionym zawodnikiem, faworytem. John, Sylwia, Ken i Daniel też brali udział w rajdzie, ale tak naprawdę liczyli na niego. Miał pokazać innym, jak wygląda prawdziwe jeżdżenie.

Wagonik zatrzymał się na stacji. Andrew zawahał się. Może zdąży przebiec do przyjaciół? Miał na to kilkadziesiąt sekund. Pojadą dalej razem. Korciło go, żeby z nimi pogadać, zaczynał się denerwować.

Poprawił plecak i mocniej ścisnął deskorolkę. Przygotował się do wyjścia. Drzwi rozsunęły się. Nikt nie wysiadał. Przeciwnie. Na drzwi naparło z zewnątrz mrowie ludzi. Jakiś mężczyzna ogromnym pakunkiem zatarasował przejście. Andrew powiedział przepraszam, potem powtórzył głośniej, ale nikt go nie przepuścił. Za późno. Drzwi zamknęły się z sykiem i wagonik ruszył.

Chłopiec przysunął się bliżej wyjścia. Nie dawał za wygraną. Spróbuje na następnej stacji. Jakiś mężczyzna uśmiechnął się do niego, widział jego wysiłki. Popatrzył dziwnie na faceta z pakunkiem, a potem wrócił do swojego „The Timesa".

Andrew także uśmiechnął się w myślach. Wyjrzał za okno. Właśnie przejeżdżali mostem ponad rzeką. Piękny dzień. Tyle jeszcze pięknych dni przed nim. Będzie sportowcem. Na desce się nie skończy. Może kiedyś będzie się ścigał w rajdach samochodowych. Lubił prędkość i ryzyko.

Wagoniki zwolniły. Za oknem mignęły postaci w pomarańczowych kurtkach. Od kilku tygodni robotnicy robili coś przy torach i nasypie. Podobno wyburzali stare baraki przy trasie. Miała powstać tutaj nowa linia, wspominał mu o tym ojciec.

Pociąg zatrzymał się. Andrew zastanowił się, co się stało. Nic dziwnego nie zauważył. Widok zasłoniły mu odrapane ściany jakiegoś budynku. Obejrzał się. Odczuł dziwny niepokój. Coś poruszyło się obok niego. Coś dziwnego. Gwałtowny błysk zobaczyli wszyscy. Gwar ustał momentalnie. Jasny punkcik zawisł pośrodku wagonu, tuż pod sufitem. Potem błękitna gwiazda powiększyła się, zawirowała i wybuchła. Słońce za oknem przestało świecić.

Jacob Miller stał w swoim apartamencie oparty czołem o szybę. Patrzył w dół, na budzące się do życia miasto. Ludzkie mrówki, drobne punkciki kotłujące się w swoim owadzim pędzie, przewijały się jak na jakimś tandetnym przyrodniczym filmie. Oni wszyscy, bez wyjątku, gonili za życiem, którego tak naprawdę nigdy nie posmakują. Widział kopce sklepów, centrów handlowych, do których wlewali się i z których wypływali równą, falującą strugą. Jacob, gdyby tylko mógł, zwymiotowałby na nich całą treścią swojego żołądka. Gdyby tylko mógł...

A dlaczego nie? – pomyślał. Namacał dłonią ramę okna, szukając uchwytu. Wiedział, że zasuwka gdzieś tam jest. W wieżowcach takich jak ten unikano okien, które można było bez problemów otworzyć. Jakby architekci sądzili, że każdy, kto tutaj pracuje, myśli tylko o tym, jak popełnić efektowne samobójstwo i skoczyć ze sto dwudziestego piętra wprost w ten zasrany korek na dole.

Jacob zamarł. Tak, to jeszcze lepszy pomysł, pomyślał. Skoczyć. Najlepiej wprost na łeb jakiemuś popaprańcowi z torbą pełną zakupów. Wbić się w maskę czyjegoś samochodu! Dałby im kolejnego newsa. Coś, czym to pieprzone miasto żyłoby przez kilkanaście sekund porannych wiadomości. Miller widział oczami wyobraźni, jak statystyczna pani Johnes włącza telewizor w swoim uroczym podmiejskim domku. Popija mlekiem bułkę z dżemem i kręcąc z niedowierzaniem głową, mówi do dwójki swoich dzieci i męża wychodzącego do pracy: „Ojej, czubek! Skąd oni się biorą na świecie?".

Otworzył okno. Do gabinetu wdarł się tamten świat. Brutalne klaksony samochodów, sygnał karetki, jakiś młot pneumatyczny, krzyk człowieka i smród miasta. Taki pięciopak na dzień dobry. Stanął na parapecie. Odetchnął smogiem. Gęstym, brudnym powietrzem, którym przy odrobinie dobrych chęci można było się najeść bardziej niż śniadaniem. Wysunął stopę przed siebie, jakby miał zamiar zbadać niewidzialny teren. Czekał na impuls, który pchnie go do przodu.

Dźwięk telefonu przyprawił go niemal o zawał. Przebił się ponad dźwięki dobiegające z dołu. Już zapomniał, jak ta elektroniczna bestia potrafi głośno ryczeć. W sumie nikt nie wykręcał jego numeru od kilku miesięcy. Tylu ludzi w mieście, tyle spraw i nikt do niego nie dzwonił. Nikt nie chciał usług specjalisty. Czyżby ten nienormalny świat był taki normalny? Czyżby nie działo się nic, czego nie można racjonalnie wytłumaczyć?

Błyskawicznie zeskoczył z parapetu, lądując ponownie w biurze. Jego ciekawość została wystarczająco rozbudzona. Ale co, jeśli to pomyłka? Jeśli ktoś dzwonił po hydraulika, na pocztę albo do pogodynki i źle wykręcił numer? Wtedy skoczę, pomyślał. Wtedy to już, cholera, na pewno skoczę!

Dźwięk telefonu zamarł. Po prostu przestał dzwonić. Podobnie było z sercem Millera, stanęło w miejscu. Przestało bić. Mężczyzna zrozumiał, że już nigdy się nie dowie. To był ten jeden telefon. Telefon mający zmienić wszystko. Dzisiaj mógł się wyrwać z marazmu, który dopadł go kilka lat temu, po śmierci Astrid. Po śmierci kobiety, o której myślał każdego dnia, w każdej chwili. Czas, który stanął w miejscu, mógł ruszyć ponownie, pisząc nową historię jego życia.

Telefon znów zadzwonił. Jacob podszedł do biurka i podniósł słuchawkę.

Profesor Schmidt zdjął czajniczek z palnika i zalał wrzątkiem kawę. Kubek postawił na biurku, z dala od akt i raportów przyniesionych z laboratorium przez oficera służb bezpieczeństwa SS. Wyjrzał przez okno. Duże krople deszczu rozbijały się na przezroczystej barierze odcinającej go od chłodnego jesiennego poranka. Kikuty ogołoconych z liści drzew szarpał potężny wiatr. Profesor cieszył się tą chwilą spokoju i ciepła w swoim gabinecie.

Przygnębiała go myśl, że za moment będzie musiał zarzucić na grzbiet wojskowy płaszcz i wyjść na zewnątrz. Ordynans przekazał mu właśnie informację, że na niego czekają. Wysłannicy samego Führera. Przyjechali specjalnie z Berlina, żeby sprawdzić stan przygotowań. Doskonale wiedział, co im powie. Był gotów od kilku tygodni. Ostatnie testy i obliczenia miały go jedynie utwierdzić w przekonaniu, że ma rację i że wszystko pójdzie zgodnie z planem. Był na to najwyższy czas. Profesor uśmiechnął się. Podniósł kubek z kawą i upił duży łyk. Płyn poparzył mu język, ale nie zwrócił na to uwagi. Ciągłe telefony, które zwykł ignorować, wizytacje i listy przesyłane specjalnym kurierem. Führer i sztab generalny niecierpliwili się. Nie dziwił im się. Sytuacja w Europie zaczynała być trudna. Prawdopodobieństwo przyłączenia się Stanów Zjednoczonych do wojny wzrastało. Roosevelt czekał tylko na pretekst. Przemarsz Hitlera przez Europę zagrażał Ameryce od wschodu, a przyłączenie się Japonii do „osi" od zachodu. Po raz pierwszy w dziejach Stanom groziła walka na dwóch frontach. Nawet w sztabie generalnym nie było już naiwnych. Interwencja Ameryki to tylko kwestia czasu, zwłaszcza po tym, co miało się stać z początkiem grudnia.

Początek grudnia. Schmidt poczuł kurcz w żołądku. Musiał za wszelką cenę unieszkodliwić Amerykę. Na tym polegała jego misja. Siódmego grudnia Stany zostaną zaatakowane z dwóch stron. Najgorsze obawy jankesów potwierdzą się w ciągu kilku godzin. Profesor był na najlepszej drodze, by wypełnić powierzone mu zadanie. Teraz była to już kwestia zaledwie kilku tygodni. Tylko ten irracjonalny strach...

Schmidt wyciągnął z kieszonki na piersi złożoną starannie kartkę papieru. Ostatni raport z tamtej strony, ten najważniejszy. Przyszedł późno w nocy. Zdążył przeczytać go niemal po tysiąckroć. Treść znał już na pamięć.

"...przegrupowanie po naszej stronie przebiega zgodnie z planem. Tłumimy ostatnie źródła oporu. Dziękujemy za posiłki ze Smoleńska. To wartościowy materiał. Führer postąpił rozsądnie, poświęcając życie tak wielu żołnierzy na uzupełnienie naszych szeregów. Z każdym dniem rośniemy w siłę. Uzyskaliśmy cenne wsparcie cywilów widzących w naszych działaniach szansę dla siebie. Oni też chcą wrócić. Przechodzimy do drugiej fazy operacji »Powrót«..."

Pukanie do drzwi było głuche, nieprzyjemne. Natarczywie wyrywało z innej rzeczywistości, w której profesor z każdym dniem zanurzał się coraz bardziej.

– Wejść! – rozkazał, nie odwracając się od okna. Upił kolejny łyk kawy. Miała smak ziemi, pleśni, jakiejś trupiej stęchlizny. Takiej samej, z jaką miał do czynienia w laboratorium.

Drzwi otworzyły się bezszelestnie. Profesor poznał, że ktoś wszedł do pokoju, jedynie po odgłosie ciężkich wojskowych butów na podłodze.

– Profesorze! Jest pan proszony do laboratorium! – Ordynans strzelił obcasami. Ta maniera irytowała Schmidta. Najchętniej dawno zwolniłby Hansa ze służby, ale wiedział, że nic by to nie dało. Przysłaliby kolejnego, równie tępego, posłusznego Führerowi szpiega, który precyzyjnie notowałby każde jego słowo, chodził za nim jak cień, podsłuchiwał, chronił przed samym sobą, a potem przekazywał raporty do Berlina.

– Już idę! – odpowiedział krótko. Odstawił kubek. Odetchnął ostrożnie, tak żeby nie zdradzić żadnych emocji. Nałożył płaszcz, czapkę i wyszedł za ordynansem z pokoju.

Jacob został delikatnie, acz stanowczo zapakowany do samochodu. Czarny van odbił od krawężnika. Kiedyś jeździł podobnym. Z tymi samymi facetami w ciemnych okularach, ubranymi w nieskazitelne garnitury skrojone i zszyte z chirurgiczną precyzją. Specjalna tajna komórka do zadań specjalnych. Pracował z nimi. Gdy nie potrafili czegoś wyjaśnić, był dla nich ostatnią deską ratunku. To były dawne czasy.

Czuł, że wydarzyło się coś naprawdę ważnego. Widział to w ich ruchach, gestach, w napięciu maskowatych twarzy. Mówili zdawkowo. Traktowali go, jakby był jakimś intruzem. Robakiem z dziwnymi, ruchliwymi oczami.

Nigdy do nich nie pasował. Żyli w świecie rutyny, przyzwyczajeń i wielkiej tajemnicy. Miller tak nie potrafił. Gdy cztery lata temu stracił Astrid, porzucił pracę. Nie potrafił wziąć się w garść. Może dlatego, że odeszła pełna cierpienia i bólu. Może dlatego, że nie mógł jej pomóc. Oddałby wszystko, by znów móc z nią być.

Ominęli korek, jadąc na sygnale. Policja zablokowała kilka przecznic. Ruch samochodowy skierowano innymi arteriami. Przepuścili jedną karetkę pogotowia, potem drugą i trzecią. Jacob przestał je liczyć. Zastanawiał się, dlaczego po niego przyjechali. Do czego był im potrzebny? Musiało dojść do poważnego wypadku w centrum. Tego domyśliłby się nawet szczeniak. Nie było trzęsienia ziemi. Wyczułby je. Może więc katastrofa budowlana? Bez sensu. Wyglądało na to, że ktoś dokonał w mieście zamachu. Lecz co zamach miał wspólnego z nim? Przecież nie był antyterrorystą.

Irytowało go, że nie może rozpoznać mijanej okolicy. Agenci dali mu minimalną możliwość ruchu. Siedział pomiędzy nimi ściśnięty jak ser w toście. Kilka obrazów, które mignęły mu przed oczami, wystarczyło, by wzbudzić niepokój. Psów było od cholery i ciut, ciut. Drogówka, tajniacy, wozy służb specjalnych. Przed chwilą wjechali w odgraniczony żółtymi taśmami rejon. Przebrnęli przez jedną kontrolę, potem drugą. Nie wpuszczali tu zwykłych ludzi. Najpewniej wyczyścili nawet okoliczne budynki.

Van zatrzymał się. Miller wysiadł za jednym z agentów, szerokie plecy zasłaniały mu widok. Znów miał problemy z orientacją w terenie. Miejsce rozpoznał dopiero po chwili. Deptak przy Suns Square był zawsze pełen ludzi, zatłoczonych kafejek i sklepów. Teraz oprócz funkcjonariuszy ubranych w granatowe mundury, kilkudziesięciu agentów FBI i Bóg wie jakich jeszcze służb nie było tu nikogo.

Jacob spojrzał ponad dachy budynków. Słońce, które jeszcze kilkadziesiąt minut temu rozjaśniało błękit nieba, znikło jak za dotknięciem różdżki. Grube, ołowiane chmury przykryły wszystko. Przetaczały się ciężko nad wieżowcami. Pierwsze krople drobnego, zimnego deszczu opadły na policzki. Uznał to za zły znak. Ulica utonęła w mroku, jakby zbliżał się wieczór, a nie południe.

Po plecach przebiegły mu ciarki. One też nie wróżyły najlepiej.

Ruszył wolno za agentem w stronę podziemnej stacji metra.

Profesor postawił wyżej kołnierz płaszcza. Deszcz zacinał z boku, prawie poziomo. Woda lała mu się do ucha i za mundur. Alejka prowadząca do podziemnych schronów była bardzo grząska. Ziemia nie chciała przyjąć więcej wody. Brunatna breja sięgała niemal po kostki. Schmidt chwalił sobie wysokie skórzane buty. Spełniały doskonale zadanie. Nie przepuszczały nawet odrobiny wilgoci.

Zbiegli po schodkach na niższy poziom. Wreszcie znaleźli się pod prowizorycznym daszkiem. Ze względów bezpieczeństwa laboratorium zostało umieszczone głęboko pod ziemią, a wejście skonstruowano tak, by przypominało zwykłą ziemiankę. Przynajmniej po części spełniało to swoją rolę. Szpiegów w tych lasach nie brakowało. Polski ruch oporu zbierał wszystkie informacje, a potem przesyłał do Londynu. Na szczęście Brytyjczycy nie zawsze wierzyli w przekazywane im rewelacje. To taki chwalony przez Niemców wyspiarski pragmatyzm.

Ordynans został ze strażnikiem przy drzwiach. Profesor przeszedł do pierwszej śluzy. Zamknął za sobą drzwi. Wreszcie mógł pozbyć się przemoczonego ubrania. Zdjął czapkę i płaszcz, otrzepał je z wody i pedantycznie rozwiesił na wieszaku.

Dopiero wtedy wszedł do oczekującej windy. Kiedy przycisnął ukryty w ścianie przełącznik, kabina drgnęła i ruszyła w dół. Głęboko. Schmidt zawsze miał wrażenie, że zjeżdża do piekła i zaraz przywita się z samym Lucyferem. Wierzył w piekło. Nie w niebo, ale właśnie w piekło. Każdego dnia miał do niego coraz bliżej.

Nawet nie poczuł, kiedy winda stanęła. Drzwi rozsunęły się powoli, otwierając się na wąski korytarz. Żarówki ukryte za stalowymi obręczami dawały nikłe światło, ledwie umożliwiające orientację w otoczeniu. Profesor na szczęście przemieszczał się tędy niezliczoną ilość razy. Szedł na pamięć, omijając liczne boczne przejścia. Nie zwracał uwagi na ładunki wybuchowe rozmieszczone parę metrów od siebie. Nie robiły już na nim wrażenia. Choć gdyby zostały zdetonowane, obróciłyby w proch całą górę, w której ukryto podziemny kompleks. Szedł mechanicznie, czując lodowaty powiew na karku. Wrażenie wzmagało się z każdym kolejnym krokiem.

Przy drugiej śluzie posłużył się skomplikowanym kodem, który uruchomił mechanizm otwierający drzwi. Znalazł się w wysoko sklepionej jaskini oświetlonej równomiernie rozmieszczonymi reflektorami. Schmidt, nie spiesząc się, ruszył w stronę grupki oficerów i cywilów skupionych przed oszkloną kopułą D2. Nawet nie zdziwił się szczególnie, widząc wśród nich Führera. Mały człowieczek nerwowo gestykulował dłońmi, snując kolejne ze swoich wizji. Jednak nawet on nie zdawał sobie sprawy z potęgi, jaką lada dzień uwolnią.

Jacob wszedł z wahaniem do głównego holu stacji metra. Jeszcze na schodach wyminął pielęgniarza, który poruszał się jak w jakimś transie, z szeroko otwartymi oczami. Niecodzienna atmosfera zaczynała się udzielać także jemu. Słyszał głośne okrzyki dobiegające od strony peronów. Nie potrafił rozróżnić słów. Ton głosów wskazywał na wyraźne wzburzenie rozmówców. Przyspieszył kroku, by jak najszybciej przejść wraz z ochroniarzem przez bramki kontrolne.

Był pewien, że obraz, który zobaczył, pozostanie mu w pamięci do końca życia. Rozpruty wagon. Przerdzewiała kupa żelastwa z wybitymi oknami stała przy peronie. Wyglądała jak puszka wygrzebana z ziemi po kilkudziesięciu latach. Kilkunastu strażaków, policjantów i lekarzy uwijało się jak w ukropie. Wynosili jakieś ciała. Kilka było zupełnie nagich, inne w postrzępionych, brudnych ubraniach. Większość pakowano wprost do plastikowych worków.

Sami starcy, to pierwsza myśl, jaka przyszła do głowy Millerowi. Co tu robią starcy? Wszystko było tak nierzeczywiste, że Jacob nie mógł zmusić się do racjonalnego myślenia. Odbierał na innych falach. Tak jakby oglądał finał czyjegoś niewybrednego żartu, z którego niewiele zrozumiał. Dopiero po chwili dostrzegł to, na co powinien był zwrócić uwagę w pierwszej kolejności. Wagon. Zardzewiały, stary wagon! Cały skład lśnił nowością, tylko ostatni wagon wyglądał inaczej. Jakby jakiś malarz surrealista umieścił go na swoim płótnie, żeby wzbudzić emocje i pokazać wszystkim, czym jest totalne zaskoczenie. Wagon wyglądał, jakby miał się rozsypać pod byle dotknięciem. Działo się tak, gdy procesy związane z utlenianiem metalu i upływ czasu robiły swoje. Jak to jednak możliwe? Miller wciąż nie był pewien, czy nie uległ halucynacji. Przecież nikt o zdrowych zmysłach nie wypuściłby składu metra z tym czymś przyczepionym do ogona!

– Jesteś, wreszcie...

Jacob rozpoznałby ten głos o każdej porze dnia i nocy. Z trudem oderwał wzrok od rozbebeszonego wagonu. Frank Beneth, stary wyga wywiadu, stanął naprzeciwko niego, uśmiechając się głupkowato pod nosem. Miller zastanawiał się, jak ten tłusty pierdziel utrzymuje się na swoich krótkich, serdelkowatych nóżkach. Większą część życia major spędzał za biurkiem w wygodnym, pokrytym mięciutką skórką fotelu. Rzadko kiedy można było zobaczyć go w terenie. Był znany z tego, że nie lubił się pocić. Wolał klimatyzowane pomieszczenia z przenośną lodóweczką na wyciągnięcie ręki.

– Co tu się stało?

– Szlag wie?! – Grubas skrzywił się. Wyciągnął z kieszonki na piersiach chusteczkę i wytarł nią dokładnie spocone czoło. – Też jestem w szoku...

Millera nie zdziwiło to akcentowane wyraźnie „też". Nie miał w zwyczaju ukrywać swoich reakcji. Nie był typem człowieka, który za wszelką cenę stara się pokazać, że nic na nim nie robi wrażenia i potrafi w każdej sytuacji zachować zimną krew. Takim zadufanym w sobie dupkiem nie był.

– Pewnie... też... nie wiesz, co to za ludzie, których teraz wyciągają z wagonów? – nie omieszkał dołożyć swojej szpileczki.

– Pasażerowie. – Beneth odsłonił pełne uzębienie w szyderczym uśmiechu. – Zapewne domyśliłeś się już, że ten wagon nie wyglądał dzisiaj rano tak, jak teraz go widzisz? Nie jechała też nim grupa z domu starców na jubileuszowy zjazd geriatryków...

Jacob nie odpowiedział. Zdążył już dojść do tak oczywistych wniosków.

– Obawiam się, że zbyt wiele z nich nie wyciągniesz – uprzedził major.

– Nie przeżyli anomalii?

– No! – Grubas popatrzył na niego uważniej i zatrząsł się ze śmiechu. – Wreszcie zaczynasz myśleć. Rzeczywiście, możesz to tak nazwać, Jacobie. Anomalia. Nigdy nie mieliśmy z taką do czynienia.

– Czy ktoś przeżył? – Miller powtórzył pytanie. Spojrzał w głąb peronu, na ciała ułożone równym rzędem pod ścianą. Miał niewielką nadzieję na pozytywną wiadomość.

– Jeden – major odpowiedział z lekkim wahaniem. – Co dziwne, nie wygląda jak tamci.

– Co masz na myśli?

– Nie jest starcem. To jeszcze dziecko.

– Dziecko? Więc on jest kluczem do tej zagadki.

– Na to wygląda. – Beneth pokiwał głową w zamyśleniu.

– Co się z nim teraz dzieje? – zapytał Miller.

– Jest w ciężkim stanie. Bardzo ciężkim... Zabrali go do naszego szpitala.

Jacob wiedział, co Beneth ma na myśli, mówiąc „naszego". Ci wszyscy lekarze, strażacy i policjanci byli nasi – „wtajemniczeni". Tak przynajmniej o sobie mówili. Oprócz zwykłej pensji za dobrze wykonaną dzienną służbę pobierali stałe, horrendalne honoraria za to, by być do dyspozycji i milczeć. Kiedyś był jednym z nich.

Poświęcał się pracy i Benethowi, zapominając o życiu. Zapominając o Astrid.

– Chcesz, żebym się tym zajął?

– Nie udawaj głupka, tylko bierz się do roboty. Może wreszcie będziesz miał jakiś cel w życiu. – Grubas popatrzył na niego tak jak w czasach, kiedy był jego szefem. Spojrzenie pełne wyrzutu i zawiedzionych nadziei pokładanych we współpracowniku. Beneth nigdy nie potrafił mu wybaczyć, że nie chce się przystosować. Być jak inni. Ciemne okulary, nieskazitelne garnitury. Jakby nie mógł zrozumieć, że nie to jest najważniejsze.

– Pewnie zadeptali wszystkie ślady. – Jacob fuknął coś pod nosem i ruszył w stronę wagonu. Nie pierwszy raz dochodziło do takiej sytuacji. Ludzie Benetha byli przeszkoleni, tego nie można było im zarzucić. Wiedzieli, na czym polega ich praca. Beztroska w zabezpieczeniu materiału dowodowego wynikała bardziej z lekceważenia pracy ludzi takich jak Miller i skupienia się na doskonałym wykonaniu swojej działki.

– Nie mieli wyboru. – Beneth wyszczerzył zęby w złośliwym uśmiechu, próbując dotrzymać mu kroku. – Inaczej by ich nie wyciągnęli. Przecież musieli pomóc tym biednym ludziom...

– Raczej jednemu – Miller nie ukrywał ironii w głosie. Mógł sobie na to pozwolić, w końcu to oni potrzebowali jego pomocy, a nie odwrotnie.

– Tak, jednemu. – Z twarzy majora zniknął uśmiech. – Gdybym nie był pewien, że mimo to sobie poradzisz, nie byłoby cię tutaj.

– Dobra, zrozumiałem. – Jacob zatrzymał się przy wyrwie w ściance wagonu i zajrzał do wnętrza. Był czuły na takie uwagi. – Przestaję marudzić i biorę się do roboty.

– No, tak lepiej. – Beneth stanął obok niego i założył pulchniutkie ręce na piersi. Wyglądało na to, że nie ma najmniejszego zamiaru towarzyszyć Millerowi w eksploracji wnętrza przedziału.

– Nie lepiej najpierw porozmawiać z tym ocalałym chłopcem? – Jacob zbeształ się w myślach za to, że wcześniej nie przyszło mu to do głowy. – Istnieje przecież ryzyko, że też zejdzie, skoro tamtym się nie udało...

– Jest nieprzytomny. – Frank uśmiechnął się uspokajająco. – Był świadomy tylko przez chwilę, gdy go znaleźliśmy. Jak dostaniemy informację, że jego stan się zmieni, w ciągu dziesięciu minut będziemy w szpitalu.

Miller nie odezwał się już. Dotknął palcem zardzewiałego metalu. Rudy pył przebarwił opuszki jego palców. Ostrożnie przekroczył rozprute przez strażaków drzwi i znalazł się we wnętrzu. Pierwszy krok postawił ostrożnie. Coś zaskrzypiało zdradliwie. Miał wrażenie, że podłoga runie pod jego ciężarem, a on wraz z nią na tory. W nozdrza uderzył smród. Podniósł rękę do ust i nosa, próbując ochronić je przed dziwnym fetorem. Dopiero teraz się rozejrzał. Włosy na głowie uniosły mu się mimowolnie. Lodowaty dreszcz powędrował wzdłuż karku. Tego się nie spodziewał. Wagon był całkowicie rozbebeszony, jak w najgorszym koszmarze. Wygięte aluminiowe rury zwisały z dachu w różnych kierunkach, krzesła zostały wypatroszone, jakby ktoś znęcał się nad nimi jakimś ostrym narzędziem. Walały się bez ładu i składu. Kilka wbitych było w dach i ściany. Nie to jednak zrobiło na nim największe wrażenie.

Podłoga wagonu pokryta była zwałami starych, różnokolorowych ubrań, butów, kapeluszy. Zakurzonych i rozdartych damskich torebek, walizek, rzeczy osobistych. Spojrzał w dół. Wyblakłe zdjęcie wystawało z portfela, czyjś aparat zarejestrował uśmiech młodej dziewczyny. Jacob z ociąganiem ruszył w głąb wagonu. Stawiał kroki jeszcze ostrożniej. Nie chciał chodzić po przedmiotach, które należały do tych nieżyjących ludzi. Miał wrażenie, że w ten sposób zbezcześci ich pamięć i cześć. Brnął w stertach monet, szminek i zegarków. Niezdarnie nadepnął na czyjeś klucze i damskie lusterko. Czuł się jak w jakimś grobowcu, jakby przechodził w strefę zakazaną i intymną, dostępną tylko dla tych, którzy przeszli okropieństwo, jakie miało tutaj miejsce.

Dostrzegł to pod oknem. Worek z ciałem, półsiedzącym, opartym o ścianę. Jacob zbliżył się do niego i przykucnął. Podniósł rękę do błyskawicznego zamka przy twarzy znajdującej się pod nakryciem. Pociągnął zapięcie w dół. Trup wyglądał jak kukła w gabinecie figur woskowych. Brudny, wysuszony, z zapadniętymi oczami ginącymi pod niewiarygodnie długimi włosami. Zsunął worek do bioder umarłego. Przez chwilę badawczo patrzył na wątłe ramiona i nagą klatkę piersiową. Potem ostrożnie uniósł zasuszoną dłoń. Obejrzał długie paznokcie. Część była połamana, pod kilkoma głęboko w opuszkach zobaczył wbite kawałki metalu. Palce były poranione, porozrywane, jakby...

Wzrok Millera padł na najbliższą ścianę. Głębokie pręgi ubrudzone jakąś mazią. Wstał i podszedł do znaleziska. Zdrapał paznokciem dziwną substancję. Krew, był tego pewien. Stara, zakrzepła krew. Ogarnął spoj-

rzeniem całość wagonu. Takich wgłębień było bez liku.
Jedne przy drugich. Dałby głowę, że w niektórych miejscach widział ślady czyichś zębów wbitych w metal. Co
tu się działo? Co tu się, do cholery, działo?

– Zabierzcie ostatniego...

Dopiero teraz zauważył, że do wagonu wszedł lekarz
i pielęgniarze. Starszy mężczyzna wskazał ciało oparte
o ścianę. Nie zwracał uwagi na Millera, zachowywał się
tak, jakby go tam zupełnie nie było.

– Nie zabezpieczyliście żadnych śladów? – Jacob zatrząsł się z oburzenia. Wreszcie znalazł osobę, którą mógł
obarczyć odpowiedzialnością za rażące błędy i niedopa-
trzenia.

Niebieskie, niemal przezroczyste oczy poruszyły się
niespokojnie pod krzaczastymi brwiami. Twarz lekarza
momentalnie zmieniła wyraz. Uniósł brodę ku górze,
a usta zamieniły się w dwie blade, niemal niewidocz-
ne rysy.

– Może przypomina pan sobie chociaż, jak byli uło-
żeni, gdy ich znaleźliście? – Miller czuł, że krew zaczyna
uderzać mu do twarzy. Dziwił się, dlaczego tak się tym
przejmuje. Gdy pracował z nimi, podobna bezmyślność
była na porządku dziennym. Czyżby tak szybko o tym
zapomniał?

– Przypominam... – lekarz z trudem wysyczał z siebie słowo – leżeli wszędzie.

Jacob zacisnął pięści. Dwaj pielęgniarze obrzucili go
niechętnymi spojrzeniami. W pierwszej chwili wydawali
się zaskoczeni, teraz wyglądali na zdegustowanych.

– Skoro nie mogę sam się o tym przekonać, to może
byłby pan bardziej precyzyjny? – cedził słowa, wyrzuca-

jąc je z siebie, jakby parzyły go w przełyku. Gdyby były sztyletami, śmiertelnie raniłyby nie tylko lekarza, pielęgniarzy, ale i wszystkich zgromadzonych w promieniu kilkunastu metrów. – Coś zwróciło pana uwagę? Nienaturalne ułożenie kończyn, nietypowe...

– Uważa pan, że to była zbrodnia? Że ktoś ich tu zamordował?

Pytanie zawisło w powietrzu. Skoncentrowało się nad głowami zebranych w wagonie mężczyzn. Wydawało się, że zaraz runie, przygniatając ich swoim ciężarem.

– Do czego pan zmierza?

– Ja? To pan coś mi tu pieprzy! Ci ludzie jeszcze kilkadziesiąt minut temu byli żywi. Tak jak ja albo pan! To nie był zamach, morderstwo, coś, co można wytłumaczyć w sposób prosty i racjonalny. Mieliśmy zajmować się odrysowywaniem kredą linii ułożenia trupów?! Żeby pan miał co analizować? W ten sposób chciał pan znaleźć odpowiedź?

Miller zamilkł. Nie tyle pod wpływem słów lekarza, co myśli, która nagle pojawiła się w jego głowie. W tym momencie wydawał się nieobecny. Nie słuchał kolejnych zdań. Nie widział, jak lekarz daje wreszcie za wygraną i wychodzi z pielęgniarzami wynoszącymi ostatnie zwłoki. Był myślami gdzieś indziej, daleko. Tak jak to bywało w takich wypadkach, kilka skojarzeń, faktów ułożyło się w ciąg, który pchnął go w wir domysłów. Wszedł niepostrzeżenie w ten swój znajomy świat.

Lekarz, mimo że nie rozumiał wagi wypowiedzianych przez siebie słów, miał rację. Źródło tej zagadki nie znajdowało się tutaj, w tym wagonie. Odpowiedzi należało szukać gdzie indziej. W miejscu, w którym nastąpiła anomalia. Tam była odpowiedź. Tu jej nie znajdzie. Trupy, które jeszcze przed chwilą leżały na podłodze, przerdzewiałe ściany i rzeczy pętające się pod nogami nic mu nie wyjaśnią.

– I co? Masz coś? – Frank Beneth zaglądał ostrożnie do wnętrza. Krótka szyja utrudniała mu możliwość ruchów. Wyglądało na to, że stara się nie dotknąć wagonu, jakby bał się, że ta dziwna zaraza przejdzie także na niego.

– Masz wiadomości ze szpitala? – Jacob odpowiedział głośno pytaniem na pytanie. Okręcił się na pięcie i ruszył w stronę grubasa. Zatrzymał się na ułamek sekundy i korzystając z nieuwagi Benetha, podniósł zdjęcie, które leżało na podłodze. Potem schował je do kieszeni.

– Nic się nie zmieniło! – Wielka głowa zniknęła z zasięgu wzroku. Widać Frank odszedł w głąb peronu.

– Dobra. – Jacob z ulgą wyszedł z wagonu. Zawahał się, ale trwało to zaledwie ułamek sekundy. – Wcześniejsza stacja... to chyba Hatrows End?

– Tak? – Beneth zdziwił się pytaniem.

– Zamknęliście ruch na tym odcinku?

– Wyłączyli prąd w tunelu i na całej linii aż do Hatrows. Ten odcinek w większości przebiega na powierzchni. Podczas budowy natrafili na jakąś podziemną rzekę, musieli ją ominąć...

– Tam musiało być jeszcze wszystko w porządku... – Jacob znów myślał głośno. Ostatnio przydarzało mu się to coraz częściej, nawet gdy szedł ulicą. Przechodnie patrzyli wtedy na niego jak na wariata. Nie był pewien, czy się mylili.

– Masz rację... – Beneth wreszcie doznał olśnienia. – To musiało się stać gdzieś między tą stacją a poprzednią.

– Dasz mi znać, gdy zmieni się stan tego ocalałego. Wyślesz też samochód na Hatrows, niech tam na mnie czeka...

– Co planujesz? – Beneth już ściskał w dłoni telefon, nie zamierzał zwlekać z wydaniem odpowiednich poleceń.

– Idę znaleźć ten swój cel w życiu, o którym mówiłeś... – przypomniał. – Znajdę przyczynę. Chyba po to mnie wezwałeś?

Frank Beneth nie odpowiedział. Uśmiechnął się. Podniósł telefon do ucha i pozwolił skomplikowanym procesorom wybrać odpowiedni numer. Odprowadzał wzrokiem Millera, aż ten zniknął w czeluści tunelu prowadzącego do Hatrows End. Dopiero wtedy potwierdził połączenie.

Widmo rozpłynęło się w powietrzu. Ostatnie słowa, pochodzące jakby z czeluści ziemi, odbijały się echem od ścian. Oprócz tego dźwięku w laboratorium nie zabzyczała nawet mucha. Nic słychać było najsłabszego oddechu, szeptu czy choćby bicia serca. Piętnastu mężczyzn siedziało w bezruchu z szeroko otwartymi ustami i rozszerzonymi źrenicami. Kurczowo zaciskali dłonie na oparciach krzeseł. Bladzi, z pulsującymi na skroniach żyłami sami wyglądali jak upiory, jak goście nie z tego świata.

Schmidt odchrząknął głośno. Zmierzył ich wzrokiem. Stał wysoko ponad nimi. Oparł się o szybę kopuły, za którą kilka chwil wcześniej pojawił się przekaz. Pierwszy otrząsnął się Führer. Nie zawiódł go. Wstał z fotela i zaczął bić brawo. Mocno, z krótkim zamachem uderzał w dłonie. Dziwny, mokry plask rozszedł się po laboratorium. Dołączyły do niego kolejne. Niektóre żywe, gorące, inne bojaźliwe i niezdecydowane. Nie miały dla Schmidta żadnego znaczenia. Nie obchodzili go ci ludzie, chodzące żywe trupy. On doskonale wiedział, że te ziemskie powłoki to zaledwie kruche imitacje siły witalnej. Prawdziwa siła tkwi w duchu, żeby ją uwolnić, trzeba być takim widmem jak to, które pojawiło się tutaj kilka chwil wcześniej.

Führer zbliżył się do niego. Wbił w profesora spojrzenie pałające dziwnym, chorobliwym blaskiem. Schmidt mógł się założyć, że jego własny wzrok jest taki sam. Trawiony gorączką, pośpiechem i żądzą.

– Mój profesorze! – Hitler dziwnym, wyuczonym ruchem dłoni poprawił grzywkę. – Rzesza jest dumna i wdzięczna...

Schmidt nie słuchał, znał te słowa. Te wielkie mowy z barwnymi przymiotnikami, wyrafinowanymi metaforami, którymi przywódca raczył podatne, wynędzniałe umysły. Przyjął wyciągniętą dłoń, nawet bez zdziwienia poddał się uściskowi, lądując w ramionach wodza narodu.

Führer pociągnął go w bok. Z dala od innych. Kościste palce wbiły się w łokieć profesora. Schmidt miał wrażenie, że zaraz jego ręka zostanie zmiażdżona. Hitler nie czuł w tej chwili własnej siły. Adrenalina robiła swoje. Był pełen energii, jak w tych pamiętnych dniach tuż przed wybuchem wojny.

– Kiedy? – proste, krótkie pytanie wypowiedziane drżącym głosem.

– Kiedy? – profesor mechanicznie powtórzył słowo, zastanawiając się nad jego znaczeniem.

– Musimy uderzyć zgodnie z planem. – Führer poprawił nerwowym ruchem płaszcz zsuwający mu się z ramion. – Siódmy dzień grudnia. Nasi sojusznicy uderzą razem z nami...

– Zdążymy. – Profesor przygarbił się mimowolnie. Nie obchodziło go to, czy Reichskanzler zauważy jego reakcję. – Potrzebuję trzech dni na zakończenie prób z przekaźnikiem.

– To chciałem usłyszeć! – Wypieki na twarzy Führera wydawały się eksplodować. – Erich... – Hitler zawahał się, zdarzało mu się to bardzo rzadko – właściwie jego widmo... powiedziało, że wojska są gotowe. Operacja „Powrót" w toku. Musi pan dostarczyć przekaźnik na miejsce osobiście.

– Osobiście? – Schmidt udał zdziwienie. Liczył na to. Gdyby Hitler nie wpadł na ten pomysł, profesor przygotował dziesiątki argumentów, które miały nakłonić wodza do tej decyzji.

– Nie ma powodów do obaw – Führer błędnie zinterpretował jego pytanie. – Zapewnimy dyskretną ochronę. Pana zadaniem będzie jedynie umieszczenie przekaźnika w odpowiednim miejscu i uruchomienie go o wyznaczonej godzinie!

Ochrona. Schmidt skinął głową na znak, że się zgadza. Był na to przygotowany. Hitler musiał wysłać z nim zaufanych ludzi. Być może kilku sprawdzonych niemieckich szpiegów działających w Stanach będzie już tam na niego czekało. Na szczęście nie powinni mu przeszkodzić w planach. Nie mieli pojęcia, co tak naprawdę zamierza. Nie wiedział o tym nawet Adolf Hitler.

Jacob szedł w niemal zupełnych ciemnościach. Potknął się. Przyszło mu do głowy, że jego pomysł nie był najmądrzejszy. W tych warunkach niewiele będzie mógł dostrzec. Poza tym nie wiedział, czego tak naprawdę szuka.

Kilkadziesiąt metrów dalej zobaczył pierwsze światła lamp awaryjnych umieszczonych przy suficie. Teraz widział wszystko doskonale. Gdyby natknął się na coś dziwnego, miał szansę tego nie przeoczyć.

Rozglądał się uważnie. Szedł szybko, ściany tunelu nie wzbudzały jego zainteresowania. Chropowate, szare, ze śladami brudnych zacieków. Kilka razy pochylił się nad szynami, ale nie zauważył nic podejrzanego. Był pewien, że po raz pierwszy w życiu zawiodła go intuicja.

Tunel bardzo łagodnie wznosił się w górę. Zrobiło się chłodniej. Zatęchłe, śmierdzące powietrze ulotniło się. Do nozdrzy Millera doszedł bardziej ożywczy podmuch.

Tory wyprowadziły go na zewnątrz. Bramki zabezpieczające po obu stronach szyn lśniły nowością. Ktoś musiał je niedawno pomalować. Deszcz siąpił z nieba małymi, ostrymi jak igiełki kroplami. Zacinał z prawej strony. Jacob musiał podnieść kołnierz kurtki, żeby ochronić twarz i uszy przed lodowatym podmuchem.

Przyspieszył kroku. Okolica wydawała się pusta. Nie było w tym nic dziwnego. Ta część miasta, mimo że wyrosła niemal pod nosem centrum, nigdy nie była zasiedlona. Od dawna był to rejon przemysłowy. Kilka fabryk, opuszczonych baraków, stocznia i Port Miejski ciągnęły się po obu stronach torów aż do Hatrows End. Niedaleko była rzeka, dok, przystań dla barek i wodnych tramwajów. Słychać było kilka mew bijących się o jakieś ochłapy i syrenę przepływającego statku. Nic więcej.

Jacob miał wrażenie, że to, co teraz robi, jest bezcelowe. Wybrał się na jakiś bezsensowny rekonesans, podczas gdy wskazówek i odpowiedzi należało pewnie szukać gdzie indziej. Ale wycofać się w tej chwili było błędem. Musiał brnąć dalej, idąc tropem wcześniejszego przeczucia. Gdyby wrócił na peron, do Benetha, przyznałby się do porażki. On, Jacob Miller, podjął beznadziejną decyzję. Stracił swoje dawne wyczucie. Równie dobrze mógł dać ogłoszenie w najpoczytniejszym brukowcu, że chce popełnić samobójstwo towarzyskie. Znalazłyby się tysiące chętnych, żeby mu w tym bezinteresownie pomóc.

Teraz niemal biegł, przeskakując co większe kałuże. Chciał jak najszybciej znaleźć się na peronie w Hatrows, wsiąść do limuzyny i pojechać do szpitala. Gdyby Frank zapytał go, czy coś odkrył, mógłby zbyć jego ciekawość wyniosłym, dającym wiele do myślenia milczeniem. Wyszedłby wtedy z tego z twarzą. Pewnie major nie byłby zbyt dociekliwy, a on sam szybko odnalazłby właściwy trop. Tego był pewien. Przecież ten ocalały musiał coś wiedzieć. Wystarczy, że odzyska przytomność...

Jacob minął kilka starych wagonów towarowych stojących na bocznicach. Kiedyś kursowały tu zwykłe pociągi, od doków w głąb kraju. Dawne tory, ułożone na zmurszałych obecnie podkładach, wciąż były widoczne. Jeden z nich wykorzystano później przy budowie metra. Właśnie po nim teraz biegł.

Zwolnił przy opuszczonym budynku. Stara siedziba dróżnika. Zawiadywał zgromadzonymi wokół zwrotnicami i jedynym szlabanem, jaki uchował się w okolicy. Teraz dróżnik nie był potrzebny. Wykopy wokół fundamentów świadczyły o jednym. Zaczęła się rozbiórka. Czas tego miejsca dobiegał końca.

Zegar umieszczony na ścianie rozlatującego się budynku. Wyglądał tak, jakby nie miał kilkudziesięciu, ale co najmniej kilkaset lat. Wydawało się, że rozsypuje się w proch...

Jacob zamarł. Spojrzał pod nogi. Zakręciło mu się w głowie. Przykucnął i dotknął szyny. Rdza. Spojrzał wokół siebie. Siatka po obu stronach toru straciła gdzieś swój blask nowości. Miller wstał i podszedł do niej. Drobne sploty były poprzerywane. Gdyby tylko ktoś mocniej w nie uderzył, zapewne rozleciałaby się ze starości.

Wszystko w promieniu dwudziestu metrów wyglądało podobnie. To, co metalowe – zardzewiało, to, co drewniane – zmurszało. Budynek, który znalazł się w zasięgu tej anomalii, także się rozsypywał. Już wiedział, że jest we właściwym miejscu. To coś zdarzyło się właśnie tutaj.

Schmidt wyszedł z kina i niespiesznie przekroczył ulicę. Czuł się dziwnie. Po raz pierwszy od bardzo długiego czasu zapomniał o wojnie. Ten kraj żył, rozwijał się, kręcił filmy, produkował luksusowe samochody. Eleganckie kobiety siedziały w kawiarniach z równie eleganckimi panami. Wystawy sklepowe były zapełnione po brzegi. Ten kraj jeszcze przez kilka godzin miał żyć złudzeniami.

Walizeczka, którą niósł pod pachą, nie ciążyła mu. Nie ciążyła mu też ochrona, która chodziła za nim krok w krok, odkąd opuścił lotnisko. Wybrał już miejsce, gdzie umieści przekaźnik. Na uboczu, w strategicznym punkcie, przy węźle kolejowym i porcie. Wojska zaufanego generała tu właśnie powinny zacząć uderzenie, przesuwając się później w głąb kraju.

Zatrzymał się przy oświetlonej mocnymi światłami wystawie sklepowej. Jego uwagę przykuł srebrny zegarek. Wygrawerowany liść dębu na awersie, łańcuszek z drobnymi oczkami, pleciony podwójnie. Podobny do tego, który nosił ojciec. Zegarek zniknął wiele lat temu. Stary Schmidt był z nim związany emocjonalnie, za życia nigdy się z nim nie rozstawał.

Profesor szarpnął za klamkę drzwi wejściowych, raz, potem drugi. Bez efektu. Sklep był zamknięty. Cofnął się o kilka kroków, nie odwracając wzroku od wystawy. Uśmiechnął się. Czym w końcu jest czas, jak nie tylko pojęciem? Jutro będzie miał wszystko, co tylko będzie chciał. Wystarczy, że wskaże palcem, a cała armia stanie na jego wezwanie, by spełnić najmniejszą zachciankę. Ten zegarek będzie pierwszą rzeczą, jaką sobie weźmie. Da go ojcu, jak tylko wybije godzina 0, gdy zacznie się operacja „Powrót".

Jacob Miller wszedł do budynku dróżnika. Ostrożnie, z mocno bijącym sercem. Tak jakby czekał na cios w głowę, upadek betonowego stropu lub runięcie schodów rozpaczliwie skrzypiących pod jego ciężarem. Ten smród. Nie pozwalał mu myśleć. Zdał sobie sprawę, że wcześniej też go czuł. Tam, w metrze. Opierając się o ścianę, powoli, krok za krokiem, powlókł się po schodach w górę, na piętro.

Drżące palce od razu natrafiły na wgłębienia. Głębokie, równe cięcia rozmieszczone blisko siebie. Rowki wyżłobione w tynku i cegle. Smugi zakrzepłej krwi na białych niegdyś ścianach.

Czuł falę zimna pełznącą po plecach w stronę karku. Nagle zaczęło brakować mu powietrza. Płuca i serce z ogromnym wysiłkiem tłoczyły krew i tlen do mózgu. Miał wrażenie, że przestrzeń wokół niego gęstnieje, drży nie tyle pod wpływem jego emocji, co zmian wywołanych przez potężną siłę, której nie rozumiał.

Już niemal wdrapał się na piętro. Ciemny, obskurny pokoik z przewróconym na bok biurkiem wyglądającym jak zdechły szary wieloryb. Gołe kable zwisające z sufitu, szczątki dachówek i połamana okienna rama. Ściany z odciśniętymi śladami dłoni. Palców niemiłosiernie powykręcanych, jakby zdjętych jakimś niewyobrażalnym artretyzmem. I napis. Ogromny, wypisany krwią napis – ONI CHCĄ TU WRÓCIĆ! A pod nim połamany krzyż – hitlerowska swastyka.

Jacob nic z tego nie rozumiał. Dlaczego jakaś siła przygniata go do podłogi? Stał wciąż na schodach, nie mógł wejść wyżej. Czuł na barkach ciężar, jakby dziesiątki niewidzialnych istot wskoczyło mu na plecy, chcąc go przygnieść do ziemi. Wiedział, że jeśli im ulegnie, już się nie podniesie.

Dźwięk telefonu wydał się nierzeczywisty. To chyba on wyrwał go z otępienia. Nie miał siły wyciągnąć urządzenia z kieszeni. Dziwne cienie, jakby nierzeczywiste mary, przesunęły się na granicy pola widzenia. Łudził się nadzieją, że te zwiewne, ciemne plamy, to tylko wynik zmęczenia. Złudzenie na siatkówce oka. Jednak gdy usłyszał niewyraźne głosy, chrapliwe szepty, zwątpił. Opadł na kolana i rzucił się w dół, bezwładnie uderzając żebrami o stopnie. Potem z trudem odczołgał się od budynku.

Przytłaczający ciężar i otępienie znikły dopiero, gdy znalazł się poza kręgiem. Drżącymi dłońmi wyciągnął telefon i odczytał wiadomość. Wzywali go do szpitala.

Pokoik w hotelu Palm Site był mały i obskurny, ale nikt tu nie zadawał zbędnych pytań, nie pytał o kartę meldunkową i nie sprawdzał paszportów. To było najważniejsze. Jedną noc mógł spędzić nawet w tak nieprzyjemnym miejscu. Schmidt wiedział, że nie mógłby zasnąć, nawet gdyby leżał na wielkim, miękkim łożu w pięciogwiazdkowym hotelu.

Neon za oknem drgał. Rzucał smugi na ściany i sufit. Profesor poczuł dziwny dreszcz. Czuł, jak drętwieją mu nogi i ręce. Ostre szpileczki przeszyły opuszki palców i powędrowały w górę, wzdłuż przegubów.

To był strach. Po raz pierwszy tak bardzo się bał. Podniósł się z łóżka i zapalił światło. Z trudem opanował drżenie rąk. Złączył je razem i próbował rozetrzeć, by przywrócić im krążenie. Spojrzał pod łóżko. Walizka leżała na swoim miejscu, bezpieczna. Tak jak i on, otoczony przez najlepszych szpiegów Rzeszy.

Podszedł do okna i wyjrzał na zewnątrz, na ulicę. Przypomniał mu się dzień, w którym podjęto decyzję. Upalny sierpień 1941 roku, Kancelaria Rzeszy, zebranie najbardziej zaufanych ludzi Führera. Czuł się tak, jakby znów tam był...

– Tyle zmarnowanego materiału! – Szef sztabu generalnego Hitlera Franz Halder wzniósł oczy do nieba. Oparł dłonie na blacie stołu konferencyjnego wybranego przez samego wodza. – Niemiecki żołnierz umiera i nie można go już wykorzystać!

– Wkrótce staniemy przed problemem braku nowego materiału do służby na froncie. Będzie trzeba obniżyć wiek poborowych. – Hermann Goering uśmiechał się dziwnie. Dłonie miał zaplecione na brzuchu. Unosiły się przy głębszym wdechu. – Przykład Smoleńska...

– Smoleńsk jest naszym niekwestionowanym zwycięstwem! – przerwał mu szef Biura Prasowego Rzeszy Otto Dietrich.

– Panowie, musicie się zgodzić, że to dopiero początek. Moskwa nie podda się tak szybko. Amerykanie w ciągu kilku miesięcy przystąpią do wojny! – Sekretarz Hitlera Martin Bormann uniósł głowę i spojrzał w sufit, jakby tam szukał odpowiedzi. – Będzie coraz więcej ofiar po naszej stronie, to nieuniknione. Front wydłuża się z każdym dniem. Coraz więcej zabitych...

– I coraz mniej poborowych – Heinrich Himmler zawsze lubił wtrącić swoje trzy grosze.

– Śmierć to zwykłe marnotrawstwo materiału! Gdyby wykorzystać tych wyszkolonych, doświadczonych żołnierzy, którzy bohatersko zginęli... – Milczący dotąd Adolf Hitler podniósł się ze swojego fotela.

Goering zaśmiał się.

– Jakaż byłaby to oszczędność! – szybko podłapał temat. Uwagę Hitlera potraktował jako dobry powód do żartu. – Funkcjonalny, niezniszczalny żołnierz!

Führer zbył milczeniem dowcip marszałka. Odszedł od stołu i zbliżył się do profesora Schmidta. Położył mu dłoń na ramieniu. Nie pozwolił jednak zabrać głosu.

– Pracujemy nad tym, Hermann, dla prawdziwego Niemca nie ma rzeczy niemożliwych... – Powiódł wzrokiem po obecnych, dłużej zatrzymał spojrzenie na Bormannie. – Obecny tu profesor Schmidt pracuje nad problemem od kilku lat. Ostatnie wyniki są obiecujące. Nawiązaliśmy kontakt z moim przyjacielem. Generał Erich von Ludendorff szykuje armię, jest gotów oddać ją pod moje rozkazy...

– Ludendorff? – Himmler podniósł się ze swojego fotela. Z jego gardła wydobył się upiorny śmiech. – Szykuje armię? Trupów?

– Doświadczonych niemieckich żołnierzy, Heinrich! Oddali już raz życie za ojczyznę! Nie cofną się przed niczym – Bormann podniósł głos. Był wtajemniczony jako jeden z nielicznych. Oderwał dłonie od stołu. Na politurze mebla pozostały mokre ślady.

W sali zapanowała cisza. Goering, który do tej pory dobrze się bawił, zbladł. Niewiele rzeczy potrafiło wytrącić go z równowagi. Patrzył to na Hitlera, to na Bormanna, nie wiedząc, co o tym wszystkim myśleć.

Schmidt wiedział. Czuł wagę tej chwili. Praca wielu lat nie szła na marne. Kolejne fazy operacji zostały przygotowane z dbałością o najdrobniejsze szczegóły. Walki na „tamtym" froncie trwały od wieków. Walki o dominację.

Sprawa Smoleńska została przytoczona nie bez powodu. Hitler spodziewał się wielu ofiar na froncie wschodnim. Decyzje, które wydawać się mogły niezrozumiałe, pozornie wynikające z błędów taktycznych, w rzeczywistości były dobrze przemyślane. Führer już dawno zdecydował, że żołnierze frontu wschodniego zostaną poświęceni. Mieli zasilić oddziały po tamtej stronie i przejść pod bezpośrednią komendę Ludendorffa. Zwyciężyć najpierw „tam", by potem wrócić w glorii i chwale do tego świata. O to zadbać miał już sam Schmidt i operacja „Powrót".

W sali wciąż pobrzmiewało echo ostatnich słów. Himmler opadł na krzesło. Próbował zrozumieć, co właśnie wydarzyło się w tym pokoju. On także był blady.

Jedynie Halder odchrząknął i zapytał:

– Kiedy będą gotowi?

Samochód zatrzymał się przed białym, wysokim budynkiem. Jacob wysiadł i wbiegł na schody prowadzące do obrotowych drzwi. Przecisnął się przez nie z trudem i stanął jak wryty. Zatrzymał go tłum. Morze głów, zapchany korytarz, kamery, błyskające rytmicznie flesze. Dopiero po chwili poczuł, że ktoś ciągnie go stanowczo za ramię. Odwrócił się. Rozpoznał Andy'ego Zappę, asystenta Benetha. Znał tego łysielca bardzo dobrze. Andy zajął miejsce Millera, kiedy ten rozstał się ze służbą.

– Chodź tędy. Media już coś zwęszyły – powiedział Zappa, uśmiechając się tym swoim obleśnym, krzywym grymasem.

Jacob bez słowa ruszył za Andym, próbując dotrzymać mu kroku. Skręcili w boczny korytarz i przyspieszyli.

– Co wiedzą? – zapytał, gdy znaleźli się z dala od gwaru dochodzącego z holu.

– Jeszcze niewiele. – Zappa nie odwrócił się. Wyglądało na to, że unika jego wzroku.

– Dorwali kilku świadków, jednak chyba sami nie wierzą w to, co usłyszeli...

Andy odpowiadał na pytania z wyczuwalną rezerwą w głosie. Miller wiedział dlaczego. Beneth zwrócił się do niego z prośbą o pomoc, mimo że już nie pracował w Agencji. To Zappa powinien był prowadzić tę sprawę.

– Sam bym w to nie uwierzył... – zaczął ostrożnie.

– No właśnie. – Andy uśmiechnął się po raz pierwszy. – Oczywiście puściliśmy w teren naszych dezinformatorów. Zrobili trochę zamieszania. – Jacob zauważył, że Zappa nagle się ożywił. Próbował pokazać, że jest przydatny. – Dzięki temu mamy trochę czasu, żeby uporać się z tym całym bałaganem...

– Świetnie, Andy – Jacob wymusił na sobie ten komplement. Nie chciał robić sobie wrogów.

Minęli dwóch strażników i zatrzymali się przed szklanymi drzwiami. Zappa wyciągnął z kieszeni kartę i przesunął ją przez czytnik. Potężne skrzydła rozchyliły się, wpuszczając ich na główny korytarz.

– Przejdziemy od strony prosektorium – Andy zniżył głos do szeptu. – Jest tu kilka rodzin, które czekają na wiadomości o bliskich. Robią coraz więcej problemów. Nasi chłopcy pracują nad oficjalnym oświadczeniem. Trudno będzie z tego wszystkiego wybrnąć...

Westchnął ciężko. Skręcili w boczny korytarz i przeszli przez kolejną bramkę. Wtedy Jacob dostrzegł tych ludzi. Blisko trzydzieści osób. Część z nich siedziała na obrotowych, składanych krzesełkach, część na podłodze. Inni przemierzali korytarz krótkimi, nerwowymi krokami. Przytłumione dźwięki rozmów docierały do niego, mimo że próbował ich nie usłyszeć. Wystarczyło mu to, co widział na ich twarzach. Przerażenie i szok. Wciąż nie wiedzieli, co stało się z ich bliskimi.

– Pokłóciliśmy się – jakiś młody mężczyzna opowiadał drżącym głosem swoją historię starszej kobiecie. – Przesiadła się do ostatniego wagonu. Potem, gdy zatrzymaliśmy się na stacji... Nie wiem, kto tam był, jakieś ciała... to wszystko wyglądało jak w jakimś koszmarze... Tam nie mogło jej być...

Miller szedł za Zappą zdecydowanie, ze wzrokiem wbitym w niewidoczny punkt przed sobą. Rozmowy umilkły. Poczuł na sobie palące spojrzenia. Znów mimowolnie zerknął w ich stronę. Zatrzymał wzrok na twarzy dziewczyny. Gdzieś już ją widział. Nie potrafił jednak powiedzieć gdzie.

Zawahał się. Ta dziewczyna... Musiał się upewnić. Dłoń mechanicznie powędrowała do kieszeni. Wyciągnął wypłowiałe zdjęcie i podał jej bez słowa. To, co zobaczył w jej oczach, wystarczyło. Odwrócił się. Podszedł do Zappy. Ktoś za nimi zawołał, ale Andy przesunął kartę

przez czytnik i kolejne drzwi błyskawicznie odgrodzi-
ły ich od ludzi. Tak było najlepiej. I tak nie byli w stanie
im pomóc. Nie zamienili już z Zappą żadnego słowa. Dalsza droga upłynęła w milczeniu. Wsiedli do windy i wjechali na
oddział intensywnej terapii. Przeszli kolejnym długim
korytarzem. Lekarze i pielęgniarki snuli się tu jak du-
chy, jak niewyraźne plamy na celuloidzie, które w każdej
chwili mogły wypłowieć. Andy przekazał go jakiemuś
mężczyźnie. Plakietka przyczepiona na piersi informo-
wała, że jest ordynatorem. Ten wręczył Millerowi ubranie ochronne, a potem kazał iść za sobą.

Zaprowadzony do izolatki Jacob rozejrzał się wokół
jak we śnie. Jasnoniebieskie szpitalne ściany, takie, które pamięta się do końca życia. Przypominały mu tamto
miejsce. Podobną, typową izolatkę, szpitalne łóżko, gorące letnie niebo. Brakowało jedynie słońca, które mogłoby
pojawić się na suficie i gorącymi promieniami oświetlić
sprzęty, monitory, rurki i butlę z kroplówką zawieszoną
nad łóżkiem. Astrid próbuje unieść dłoń na przywitanie,
próbuje się uśmiechnąć.

– Przedwczesny alarm. – Frank Beneth ledwo mieścił się na taborecie. Siedział w dziwnej pozie. Nienaturalnie wyprostowany, z dłońmi zaplecionymi nad brzuchem
i wzrokiem utkwionym w cieniu leżącym na szpitalnym
łóżku. – Wybudził się z krzykiem...

– Nieprzytomny? – Jacob otrząsnął się z bolesnej wizji. Wyczuł drżenie własnego głosu.

– Znów... – Beneth wreszcie wstał. Widać było, że taboret nie służy dobrze jego kręgosłupowi. Wyciągnął do
góry ręce i przeciągnął się. – Niezły mamy tu bajzel, nie?

– Nic nowego... – Miller wyszczerzył zęby. Szybko doszedł do siebie.

– No właśnie. – Major zaśmiał się cicho. – Muszę rozprostować kości, teraz ty przy nim posiedzisz – powiedział. – W ogóle dziwna sprawa. Wydaje się, że nic mu nie jest. Żadnych obrażeń wewnętrznych. Mimo to bardzo szybko traci siły. Lekarze nie wiedzą, co robić. Nie zostało mu zbyt wiele czasu. W sumie jest już jedną nogą po tamtej stronie. Mam nadzieję, że jeszcze się przebudzi.

Jacob długo wpatrywał się w drzwi, przez które wyszedł Frank. Z wahaniem usiadł na taborecie. Przysunął się bliżej łóżka, by przyjrzeć się nieprzytomnemu dziecku. Z trudem przełknął ślinę. Chłopiec miał otwarte oczy, patrzył wprost na niego.

– Oni wszyscy nie żyją. – Świszczący oddech wychodził z płuc małego przy najdrobniejszym poruszeniu ust. – Nie wytrzymali tego... to trwało zbyt długo. Są już po tamtej stronie.

Miller wstał. Czuł, że ma miękkie nogi.

– Proszę... nie wołać... – chłopiec najwyraźniej przewidział jego zamiar. – Czekałem na pana. Wiem, że pan tam był.

– Co? – Jacob czuł, że jego gardło stało się jednym wielkim węzłem mięśni. Z trudem panował nad głosem.

– Znalazł pan to miejsce...

– Miejsce? – W głowie Jacoba huczały chaotyczne myśli.

– Właśnie tam się to wszystko stało. – Dzieciak przymknął oczy. Po policzku spłynęła mu łza. – To był błysk.

Bardzo krótki. Nasz wagon zwolnił przy budynku. Zrobiło się ciemno i wtedy... wtedy ich zobaczyliśmy. Wszystkich. Czas się zatrzymał, ot tak. Jakby wiedzieli, że to się stanie. Planowali to i teraz czekają tylko na jedno. Gdy umrę, nikt ich nie powstrzyma...

– Nie umrzesz, chłopcze. – Miller wzrokiem szukał dzwonka, którym mógłby przywołać pielęgniarkę.

– Wiem, że umrę. – Andrew otworzył oczy. – Oni na to czekają.

– O kim mówisz?

– Przecież ich pan widział. – Mały głośno zakaszlał. – Słyszał. Zawsze byli... jak cienie... czekali na odpowiednią chwilę...

– Musisz odpocząć, zapomnieć o tym. – Pot spływał po skroniach Millera. Próbował ze wszystkich sił mówić spokojnie. Czuł duszności i ten dziwny ucisk w klatce piersiowej.

– Mamy mało czasu... – Kolejny atak kaszlu. – Musi pan to zrozumieć i uwierzyć. Inaczej...

– Co inaczej? – Jacob opanował drżenie kolan. Zaschło mu w ustach.

– Jeszcze wczoraj... ja... nazywam się Webber... – Chłopiec zakrztusił się. Trwało chwilę, zanim doszedł do siebie.

– Sprowadzimy tu twoich rodziców, zaraz dam znać oficerowi dyżurnemu, żeby...

– Nie zdążę ich zobaczyć – głos małego pacjenta przez krótką chwilę znów był mocny i zdecydowany. – Najpierw muszę wszystko panu powiedzieć. Nie jest jeszcze za późno, powstrzyma ich pan.

– Kogo? – Miller zacisnął pięści. Nie mógł patrzeć na męczarnie chłopca, ale wiedział, że musi poznać wszystkie informacje.

– Tych, co umarli! Oni kiedyś żyli w tym świecie, ale z niego odeszli... Teraz wiedzą, jak wrócić. Wykorzystają do tego mnie!

Jacob opadł na taboret. Chłopiec majaczył. Dostał pomieszania zmysłów.

– Nie rozumie pan? – Pacjent próbował unieść głowę. Opadła bezwładnie z powrotem na poduszkę. – To tak, jakby... jakby wyobraził sobie pan dwa nieskończenie długie pociągi... – Cichy, świszczący oddech. – Jadą z ogromną prędkością obok siebie... choć jeden dla drugiego wydaje się nierzeczywisty, nieuchwytny... To dwa światy. Ich i nasz. Nikt nie może przedostać się z jednego pociągu do drugiego...

– Mówisz o świecie zmarłych?

– Tak! – Suchy kaszel wstrząsnął chudym ciałem. – Ich świat istnieje. Każdy, kto umrze, tam trafia... A jak umrze, to potem chce wrócić...

– Wrócić?

– Właśnie o to im chodzi... Znaleźli sposób, by wrócić. Ktoś dał im szansę... – Chłopiec chwycił dłoń Jacoba. Drobne palce wpiły się w skórę. – Widziałem to pudełko! Nazywali je transmiterem. Został przypadkowo włączony, to on połączył nasze światy. Potrzebują tylko bramy, przez którą mogliby przejść...

Dziwny cień przesunął się po twarzy chłopca. Policzki stężały, jakby przeszedł przez nie gwałtowny kurcz.

– Bramy?

– Tak, bramy. – Jacob wytężał słuch, żeby zrozumieć coraz cichsze, urywane zdania. – Potrzebują kogoś, kto będzie zawieszony pomiędzy... Pasażera, który przewiezie ich do tego świata...

– Pasażera? – był zdolny jedynie powtarzać automatycznie słowa chłopca. Próbował oswobodzić dłoń z mocnego uścisku. Czuł, że cały drży.

– Wszyscy, którzy jechali w tym wagonie, zginęli... oprócz mnie. Teraz to ja jestem zawieszony pomiędzy tym światem i tamtym. Tracę siły z każdą upływającą minutą, a oni je zyskują. Transmiter czerpie energię ze mnie! Jeśli pan nie zdąży, umrę, a wtedy... Wtedy nic ich nie powstrzyma. Dojdzie do połączenia i przedostaną się tutaj... – W oczach Andrew znów pojawiły się łzy. Spadły na pergaminowe, suche policzki.

W izolatce zapanowało głuche milczenie.

– Pan mi nie wierzy? – Miller ledwo usłyszał słaby głos. – Jeśli chce pan uratować ten świat, musi mi pan uwierzyć. To jedyna szansa... Inaczej ich świat stanie się naszym... a w końcu będziemy tacy jak oni...

– Co miałbym zrobić? – pytał bez przekonania. Chciał jak najszybciej zakończyć tę rozmowę.

– Musi pan tam znów pójść. W tym budynku, przy oknie... tam jest to urządzenie... Musi pan je odnaleźć i wyłączyć, zanim umrę! To ono otwiera bramę.

– I to pomoże?

– Tak! Wtedy zamknie pan przejście! A ja... ja będę mógł spokojnie...

Jacob westchnął ciężko. To szaleństwo, jedno wielkie szaleństwo.

Chłopiec opuścił wzrok na prześcieradło. Uśmiechnął się smutno. Wyglądało na to, że dał za wygraną.

– Jest tu? – zapytał słabym głosem.

– Co jest?

– Pod łóżkiem...

Miller znów poczuł, jak włosy stają mu na głowie. Pochylił się ostrożnie, jakby bał się, że coś czai się w cieniu, pod szpitalnym kocem. Odchylił prześcieradło. Była... deskorolka. Stary kawałek drewna, odrapany, zniszczony, z imieniem wyrytym koślawymi literami.

– Masz na imię Andrew? – zapytał.

– Tak, Jacobie... Niech pan już idzie, i tak niedługo się zobaczymy... w tym... albo tamtym świecie... Wtedy wszystko pan zrozumie...

Miller patrzył, jak chłopiec znów zapada w sen. Wstał z taboretu i ruszył do wyjścia. Zamknął za sobą drzwi i oparł się o nie plecami. Był wstrząśnięty tym, co stało się kilka sekund wcześniej. Na szczęście Beneth zbliżył się właśnie z dwoma wypełnionymi gorącym płynem kubkami.

– Mówiłeś chłopcu, jak mam na imię? – zapytał, gdy Frank znalazł się przy nim.

– Komu? – Major oddał mu jeden z plastikowych kubeczków. Mocny zapach kawy doszedł do nozdrzy Jacoba.

– Jemu. – Miller wskazał kciukiem za siebie.

– Nie rozmawiałem z nim... – Beneth zawahał się. – Odzyskał przytomność tylko na chwilę, ale wiem, że jedyne, co powiedział, to żeby zabrać wraz z nim jakąś deskorolkę...

Jacob usłyszał, jak powietrze z jego płuc wydobywa się z głośnym sykiem. Oddał kubek Frankowi, niemal wylewając całą zawartość na jego kurtkę. – Muszę... – nie dokończył. Rzucił się biegiem korytarzem.

W końcu dotarł na miejsce. Hotel opuścił grubo po północy, tak jak to sobie zaplanował. Po drodze minął zaledwie kilka osób. Najprawdopodobniej robotników wracających z nocnej zmiany. Nikt go nie zaczepił. Walizka nie przyciągnęła niczyjego wzroku. Nie budziła podejrzeń. Gdyby tylko wiedzieli, co w niej niesie. Gdyby zdali sobie sprawę, że ten mały pakunek zmieni ich dotychczasowe życie w piekło.

Schmidt poczuł chłód, sopel w żołądku, którego nie potrafił się pozbyć. Zrobiło mu się słabo, aż przysiadł na krawężniku. Blask odległych ulicznych latarń nie rozpraszał ciemności tego miejsca. Do świtu było jeszcze daleko.

Płomieniem zapalniczki oświetlił tarczę zegarka. Już niedługo. Syrena portowa zawyła raz, przeciągle, złowróżbnie, jakby ona jedyna coś przeczuwała. Schmidt z trudem wstał i zbliżył się do budynku dróżnika. Otworzył drzwi i wbiegł na piętro. Podszedł do lukarny. Schowek przygotował już wcześniej. Nikt inny nie znał kryjówki. Tutaj wszystko się zacznie.

Profesor położył walizkę na podłodze. Otworzył ją. Drżącymi dłońmi dotknął błyszczącego metalu. Nie pozostało mu nic innego, jak schować transmiter. Niech czeka. Jeszcze tylko godzina.

Ciepło bijące od urządzenia wyczuł opuszkami palców, było przyjemne. Chyba dopiero ono go uspokoiło. Serce wreszcie przestało rozpaczliwie kołatać w klatce piersiowej.

Odetchnął głęboko. Ostrożnie sięgnął w głąb walizki i uchwycił urządzenie. Uniósł je w górę. Wydawało mu się cięższe niż zazwyczaj. Wiedział, że to tylko wyobraźnia. Przysunął się do ściany. Odciągnął poluzowane deski i przez otwór przecisnął urządzenie. Ta nisza to świetny schowek. Dobrze wybrał miejsce. Upewnił się, że transmiter stoi na stabilnym podłożu, a potem starannie poprawił deski. Otarł pot z czoła. Był gotowy. Wróci tu za godzinę i włączy urządzenie. Wtedy wszystko się zacznie.

Van podskoczył na chodniku. Jacob z trudem wyhamował, ocierając bok pojazdu o latarnię. Wyskoczył z samochodu i pobiegł w stronę wystawy sklepowej. Anna powinna już być gotowa. Specjalnie zadzwonił do niej wcześniej. Tylko ona mogła mu pomóc. Ciekawe. O nic nie pytała, jakby wyczuwała, że to ważne... A może już wiedziała?

Dzwoneczek poruszony gwałtownie pchniętymi drzwiami wydał z siebie wysokie tony. W korytarzu było sporo ludzi. Unikali wzroku sąsiadów. Jakby bali się przyznać innym do własnych słabości. Każdy z nich chciał od medium czegoś innego. Czegoś dla siebie. Jedni

przyszli, by uspokoić sumienie, inni szukali odpowiedzi na sobie tylko znane pytania.

Jacob bywał tu często, lecz po raz pierwszy widział taki tłok. Ruch w tym interesie widać zaczął się kręcić. Ostrożnie wyminął kobietę ściskającą w ramionach wyrywającego się pudla, przepchnął się obok staruszka wpatrzonego w stare zdjęcie i wpadł do gabinetu Anny.

Czekała. Siedziała przy stole w towarzystwie dziwnej, ubranej na czarno pary. Wokół nich ustawione były wysokie żelazne świeczniki. Świece paliły się nierównym blaskiem, oświetlając skupione twarze. Miller obrzucił wzrokiem pomieszczenie. Pokój przeładowany był dziwnymi bibelotami, których znaczenia nawet nie chciał zgadywać. Anna zawsze podkreślała, że w jej pracy atmosfera odgrywa ważną rolę. Ci ludzie, którzy do niej przychodzili, spodziewali się zapachu parafiny, kulek na mole, włóczkowych obrusów, dzwoneczków i kadzidełek. W cenie były szeleszczące kotary oddzielające pokoje i stare zegary odliczające rytmicznie upływający czas. Wszystko, czego oczekiwali, mieli tu, w gabinecie medium.

Spojrzała na niego. Uśmiechnęła się, lecz tak jakoś blado, jakby nie swoim szczerym uśmiechem. Bez słowa wstała od stołu. Dotknęła ręki kobiety siedzącej naprzeciw. Jacob dopiero teraz zauważył, że starowinka płakała. Jej mąż siedział w bezruchu, blady jak kreda.

Anna obeszła stół. Podniosła z kanapy gruby wełniany sweter. Narzuciła go na siebie i dała Millerowi znak, by poszedł za nią. Korytarz wydawał się nie mieć końca. Jacob czuł zapach jaśminu i pokrzywy. To jej włosy odurzały bardziej niż najmocniejsze kadzidła. Znał ten zapach bardzo dobrze. Miał dziwne wrażenie, że czuje go po raz ostatni. Dreszcz przebiegł mu po plecach. Nie opuścił go nawet chwilę później, gdy znaleźli się w samochodzie.

– Coś dziwnego dzieje się dzisiaj w mieście – odezwał się dopiero, gdy ruszyli.

– Wiem – odpowiedziała krótko. Zaczesała dłonią grube, kręcone włosy za ucho. – Przyszło ich do mnie dzisiaj zbyt wielu...

– Klientów? – zapytał.

– Można tak powiedzieć. – Spojrzeli sobie w oczy, głęboko. – Martwych klientów...

– Umiesz to wytłumaczyć? – zapytał po chwili milczenia.

– Niektórych rzeczy nie da się po prostu wytłumaczyć, trzeba zostawić je takimi, jakie są...

– Nie tym razem. – Jacob przyspieszył. Wyprzedził jadący przed nim samochód. Przejechał skrzyżowanie na czerwonym świetle. – Musisz mi w czymś pomóc. Upewnić mnie...

– Oni na coś czekają – przerwała mu. – Słyszałam to... jakby...

– Jakby chcieli przejść do naszego świata?

– Nie wiem. – Zapatrzyła się w swoje dłonie, oparte równo przy sobie na kolanach. – Nie rozumiem tego. Zawsze chcieli wrócić do swoich domów, bliskich, do rzeczy, które tu zostawili... To była ich rozpacz, to, że byli bezsilni. Teraz jest inaczej... Boję się, Jacob.

Nie popatrzył na nią. Znów pomyślał o Astrid. Nie potrafił się z tym uporać. Miało być lepiej, czas miał leczyć rany. Wiedział, że to nieprawda. Z każdym dniem tęsknił do niej coraz bardziej.

Zjechał z głównej drogi i skierował się do strefy przemysłowej. Byli blisko. Jeszcze dziesięć minut. Minęli doki i zbliżyli się do torów. Musieli zwolnić. Szlaban blokował drogę.

Miller wyhamował w ostatniej chwili. Budynek był niemal na wyciągnięcie ręki. Stał tam. Czekał na nich i na jego decyzję.

Schmidt znów spojrzał na zegarek. Niecierpliwie. Właśnie zamówił kolejną kawę. Gruba kobieta w zatłuszczonym fartuchu podeszła do jego stolika i wlała mu do kubka gęstą brązową breję. Uśmiechnął się do niej wymuszenie. Nie zareagowała. Okręciła się na pięcie i podeszła do innego klienta, który właśnie zamawiał śniadanie. Krępy mężczyzna w dziwnym kapeluszu, z nosem utkwionym niemal przy brudnym blacie.

Profesor wyjrzał za okno, na ulicę. Od czasu do czasu chodnikiem przemykał jakiś człowiek. Z rzadka przejechał samochód. Schmidt ostrożnie upił łyk letniego płynu. Transmiter przeszedł wszystkie niezbędne testy. Takie, jakie mógł zrobić w laboratorium. Już niedługo. Pójdzie tam i go uruchomi. Urządzenie zadziała, tego był pewien. Połączy oba światy. Otworzy bramę pomiędzy tym wymiarem a tamtym. Wtedy Schmidt zadecyduje, kto przez nią przejdzie, a kto nie.

Zaśmiał się cicho, chrapliwie. Jeszcze raz spojrzał na zegarek. Biedny Bormann, zaufany piesek Hitlera. Właśnie szykował się do samobójstwa. Siedział teraz w swoim gabinecie w otoczeniu generałów z rewolwerem gotowym do strzału. Tak łatwo dał się oszukać. Wszyscy dali się oszukać. Bormann wierzył ślepo, że to on będzie bramą po uruchomieniu przekaźnika. Wierzył, że gdy już znajdzie się po tamtej stronie, będzie decydował o wszystkim, że on będzie kontrolował armię. Takie były ustalenia. Ustalenia, których profesor nie miał zamiaru akceptować. To Schmidt będzie niezwyciężony. Będzie panem tego świata wraz z armią, która stanie na każde jego wezwanie.

Widział ją. Widział nieprzebrane zastępy podczas ostatecznego testu. Zaledwie kilkanaście dni temu, w laboratorium. Był sam. Transmiter ustawił wtedy na minimalny zakres mocy. To wystarczyło. Cienie jakby na to czekały. Zbliżyły się. Zrozumiał, że były tam zawsze, lecz dopiero teraz zdał sobie sprawę z ich obecności. Przybywali. Rozpoznał ich. Materializowali się jak za dotknięciem różdżki. Ich twarze. Pociągłe, blade, okrutne. Widział w ich oczach odbicie samego siebie. Znał to szaleństwo, w końcu ogarniało go przez całe życie.

Wciąż czuł głęboko w nozdrzach ten zapach siarki, trupiego odoru i zgnilizny. Armia stawała na jego rozkazy. Wszyscy bez wyjątku. Formowali szyk z dźwiękiem wojennych werbli. Chrzęst wojskowych butów, którego dotąd nienawidził, stawał się słodką melodią. Szczęk broni, rżenie czarnych, spoconych koni były coraz bardziej wyraźne. Już wtedy przekaźnik połączył dwa światy. Brakowało tylko bramy, przez którą mogliby przejść. On, Schmidt, nią będzie, ale jeszcze nie teraz. Wszystko musiało przebiegać stopniowo, zgodnie z planem. Zostanie władcą absolutnym, jakiego jeszcze nie było. Jego armia czekała na rozkaz. Tak jak generał Schiffen, który wyjechał przed pierwszy szereg, spiął konia i z diabolicznym rykiem wydobywającym się z gardła zmusił go do biegu...

Schmidt znów spojrzał na zegarek. Już czas. Bormann musiał nacisnąć spust. Jeśli zabrakło mu odwagi, na pewno znalazł się chętny, by mu pomóc. Biedny Martin. Nawet nie wie, że piekło, do którego powinien był trafić, za chwilę przestanie istnieć. Piekło będzie tu, na ziemi.

Profesor sięgnął dłonią do kieszeni marynarki. Wyciągnął zwitek dolarów i rzucił je na stół. Założył płaszcz, chwycił pustą walizkę i wyszedł na ulicę. Zbliżał się świt. Ptaki zaczynały się budzić.

Skręcił w boczną uliczkę prowadzącą do portu. Znał trasę na pamięć. Obejrzał się za siebie. Nikt za nim nie szedł. Kontury budynków stawały się coraz bardziej wyraźne. Zbliżał się do torów, już niedługo będzie na miejscu. Tam czekała na niego przepustka do nieśmiertelności i władzy. Transmiter miał zawiesić go pomiędzy dwoma światami, w stanie życia i śmierci. Wystarczająco długo, by generał Schiffen miał czas...

Schmidt niespodziewanie stracił oddech. Pod łopatką poczuł żywy ogień. Krtań ścisnęły mu czyjeś palce.

– Profesor Schmidt? Nie mylę się?

Ten akcent. Wyraźny, rosyjski. Schmidt czuł, że żołądek może mu eksplodować w każdej chwili. Popełnił błąd. Mężczyzna trzymał go w stalowym uścisku. Nie miał szans, żeby się poruszyć.

– Czego chcesz? – syknął. – Jeśli pieniędzy, mam przy sobie kilkaset dolarów. Mogę zdobyć więcej.

– Pieniędzy? – Napastnik się zaśmiał. Czuć było od niego czosnkiem. – Chcę walizki. Tego, co w niej jest!

– Tam nic nie ma! – Schmidt czuł, że krew odpływa mu z twarzy. Czyżby wiedzieli? Czyżby ktoś wiedział co zamierza?

– Dawaj! – Mężczyzna pchnął go na ścianę budynku. Schmidt dopiero teraz mógł zobaczyć jego twarz. Widział go już wcześniej. Tam, w barze. Facet w dziwnym kapeluszu, zamawiał śniadanie. – Dawaj transmiter!

– Transmiter? – Serce profesora przez chwilę zatrzymało się w miejscu. A więc wiedzieli. Rosjanie wiedzieli. Kto jeszcze?

Mężczyzna nie zwlekał dłużej. Wyrwał mu walizkę z ręki i potrząsnął nią. Zawahał się. Coś dziwnego pojawiło się w jego oczach.

– Pusta? – warknął. Nie przestawał mierzyć do profesora z broni. – Gdzie to jest?!

Schmidt właśnie w tej chwili zobaczył jakąś postać wyłaniającą się z ciemności. To była jego jedyna szansa. Musiał ratować swoje życie.

– Ratunku! – krzyknął.

Jego czaszkę przeszył ostry ból. Mężczyzna uderzył go kolbą w skroń. Schmidt osunął się na ścianę. Napastnik chwycił go pod ramiona i pociągnął w zaułek pomiędzy budynkami. Po chwili dołączył do niego drugi. Nachylił się nad nim.

– Timur, musimy teraz z niego wszystko wyciągnąć! – powiedział. W dłoniach trzymał mały neseser. Wydobył z niego strzykawkę i ampułkę.

Schmidt wiedział, co teraz nastąpi. Sam testował podobny specyfik w obozach na przymusowych robotnikach. Doskonale wiedział, jakich użyć proporcji, żeby wykorzystać najlepiej jego właściwości.

– Wszystko nam powie! – Timur podciągnął mu rękaw płaszcza i odwinął koszulę ponad łokieć. – Prawda, profesorku? Wszystko nam zaraz wyśpiewasz?

Schmidt zadrżał. Poczuł, jak igła wbija się w jego skórę, a palący płyn miesza z jego krwią. Czyżby się pomylił? Cały plan pójdzie do piekła wraz z nim? Wszystko na darmo! Cała misterna intryga. Ból zgiął go wpół. Schmidt nie przestawał jednak jasno myśleć. Nie mógł się teraz poddać.

– Zaprowadzę was do transmitera. Tylko nic mi nie róbcie! – wycharczał.

Miał nadzieję, że chwycą przynętę. Gdyby tylko doprowadzili go na miejsce, włączyłby transmiter, wtedy znów odzyskałby przewagę.

– Nie ma mowy! – Timur uderzył go dłonią z całej siły w policzek. – Masz powiedzieć teraz, gdzie jest transmiter?!

Profesor odetchnął. Ból niespodziewanie minął. Nie pozostał po nim nawet najmniejszy ślad. Myśli nigdy dotąd nie były tak klarowne. Zaśmiał się. Wiedział, że nie wszystko stracone. On i tak będzie panem tego świata. Znalazł inny sposób. Sposób, który na pewno się uda. Transmiter prędzej czy później i tak zostanie uruchomiony. Jeśli nie zrobi tego on, to zrobi to ktoś inny. A brama do obu światów? Bramą może być każdy. Transmiter sam sobie kogoś wybierze. Ważne, że to on wiedział, jak ją kontrolować. Teraz to tylko kwestia czasu.

Schmidt poruszył językiem w ustach. Przesunął koniuszkiem wzdłuż zębów, podważając złotą koronkę.

Wyleciała spod niej okrągła, twarda ampułka. Rozgryzł ją. Jego diaboliczny śmiech rozdarł grudniowy poranek.

Jacob zahamował na żwirowym poboczu kilkadziesiąt metrów przed budynkiem. Zaparkowali obok innego samochodu, na który wcześniej nie zwrócił uwagi. Czerwony pick-up z żółtym napisem Inspektorat Budowlany. Wysiedli z auta. Deszcz jakby na to czekał. Zaczął lać z nieba zimnymi strugami. Zapadł zmierzch. Miller zdjął kurtkę i zarzucił ją na plecy Anny. Chciał przynajmniej w ten sposób ochronić ją przed zmoknięciem. Dotknął ramienia kobiety i pociągnął ją w stronę budynku. Szła posłusznie, jak manekin. Czuł, że drżała. Nie wiedział tylko, czy pod wpływem zimna, czy emocji, które targały jej myślami.

Nie był przygotowany na to, co się stało, gdy przekroczyli krąg. Odrzuciło ją do tyłu. Jakaś siła wyrwała mu ją z ramion. Upadła na plecy. Zobaczył jej twarz. Rozszerzone źrenice i usta otwarte w niemym przerażeniu.

– Są tu! – jęknęła. – Jest tu i... Bernard...

Deszcz rozmył makijaż na twarzy Anny. Wyglądała upiornie. Jacob wiedział, o kim mówiła. Znał Bena, jej męża. Kiedyś byli przyjaciółmi.

Podniósł ją. Była lekka jak piórko. Wydawało się, że straciła kontrolę nad mięśniami. Spojrzała na niego błagalnie, jakby prosiła go, by nie zmuszał jej do pójścia dalej.

Nie miał wyboru. Wlókł ją wzdłuż torów w stronę budynku.

– Widzisz? – załkała. Przycisnęła swoją głowę do jego szyi. Być może tak czuła się bezpieczniej. – Widzisz ich? Jacob, jeśli nawet coś widział, nie przyjmował tego do świadomości. Wolał nie zauważać burych, galaretowatych cieni przelewających się jak rzeka płynnej magmy. Pokraczne twarze wpatrywały się w nich badawczo. Wygięte, falujące członki przenikały się nawzajem, ohydne i przerażające. Najgorszy był ich szept. Wdzierający się do mózgu, przełamujący wszelkie bariery. Nie pozwalał zebrać myśli; słowa, plugawe, błagające o litość, imiona i nazwiska, które znał. Wysysali z niego siły, całą radość, czuł, że i jego ciało staje się ciężkie. Członki zamieniały się z każdym kolejnym krokiem w płynny ołów, stawały się obce i martwe.

– One nas... – Spazmatyczny szloch wyrwał się z gardła Anny. Z trudem obrócił się w jej kierunku. Teraz znosiła to fizycznie lepiej od niego. Odzyskała siły, gdy on gwałtownie je tracił. Stała wyprostowana. W jej oczach widział przerażenie, ale panowała nad nim jakąś wewnętrzną siłą woli.

– Anno. Oni chcą się tu przedostać... – wycharczał. Nie mówił jej wszystkiego. Jeszcze nie teraz. Przecież sam nie wiedział, jaką podejmie decyzję.

Cienie zafalowały niespokojnie nad jego głową. Strzępy brunatnego dymu wzbiły się w powietrze. Zawirowały, rozdzielając się i łącząc w upiorne, wykrzywione twarze. Jeden z obłoków dotknął Jacoba, przesunął się przez jego bark. Odczuł to jak dotknięcie palącego żelaza.

– Bernard – z oczu kobiety popłynęły brudne łzy – mówi, że już niedługo znów będziemy razem... Jest coraz bliżej...

– Musisz mi pomóc! – Jacob zwalczył siłę, która przytłaczała go do ziemi. – Transmiter gdzieś tu jest. Ten chłopiec, ten ze szpitala... Mówił, że jest zawieszony między dwoma światami. Jeśli umrze, przedostaną się przez niego jak przez bramę...

– Co mam zrobić? – Anna momentalnie oprzytomniała. Tego od niej oczekiwał. Tylko ona mogła walczyć z siłami, których nie rozumiał. Tylko ona mogła mu pomóc.

– Znajdź urządzenie, zaprowadź mnie tam... Tylko ty to potrafisz... – szepnął.

Widział, jak Anna słania się na nogach. Z trudem utrzymywała równowagę pod jego przytłaczającym ciężarem. Miał wrażenie, że jego nogi przemieniły się w dwie grube kłody drewna. Nie czuł ich. Widział je, ale nie należały do niego. Jakieś dziwne, opuchnięte i poskręcane. Cudem dobrnęli do budynku. Oparła go o framugę drzwi. Próbowała złapać oddech. Teraz wszystko zależało od niej. Musiała pomóc mu wdrapać się na górę, do tego pokoju, w którym wcześniej był...

Pchnęła go w stronę schodów. Zatoczył się, mało brakowało, a przewróciłby ją, chwiejąc się jak głaz zawieszony na stromej skarpie. Spojrzał w górę, próbując jednocześnie złapać się poręczy. Stali tam, już bardziej materialni, nieruchomi i milczący. Wpatrywali się w nich pustymi oczami, bez nienawiści, której się spodziewał. Po prostu patrzyli.

Każdy schodek był jak wieczność. Stopy niepewnie macały grunt. Ześlizgiwały się. Ranił dłonie o ścianę, próbując utrzymać się w pionie. Usłyszał znów płacz Anny. Tym razem były to łzy bólu i nadludzkiego wysiłku.

Opadł na czworakach. Stracił wszystkie siły. Kolana przenosił ze stopnia na stopień, bo tak wydawało mu się prościej i łatwiej. Dzięki temu powoli, ale konsekwentnie piął się w górę. Do celu.

Zobaczył ją u szczytu schodów. Była tam. Astrid. Jej twarz zamajaczyła w szpalerze cieni. Stała dumna i wyprostowana. Smutny uśmiech, oczy, które tak kochał, które wpatrywały się w niego z miłością dzień po dniu.

Stracił ją cztery lata temu, a wydawało się, jakby to było wczoraj. Odeszła pełna cierpienia i bólu. Przepraszał ją wtedy, że nie może jej pomóc. Przepraszał za swoją bezsilność. Tamtego dnia, gdy wyszedł od niej ze szpitala, chciał znów być z nią jak najszybciej. Nie potrafił zostawiać jej nawet tam, w tym drugim świecie, samej na więcej niż kilka sekund. Należeli do siebie, dwójka ludzi, którzy zawsze powinni być razem...

– Jacob. Musisz iść... mamy coraz mniej czasu! – Anna krzyczała nad jego głową. Szarpała jego ramieniem, próbując wyrwać go z otępienia. – Po to mnie tu wziąłeś. Miałam ci pomóc go odnaleźć! Musimy ich powstrzymać!

– Anno... – jego słowa były zwykłym charkotem. – Chcesz, by Bernard był znów z tobą? Chcesz, byśmy pomogli mu wrócić?

– O czym ty mówisz? – W jej oczach zobaczył przerażenie i strach. Patrzyła na niego jak na upiora.

– Bernard i Astrid. Oni znów będą z nami! – Szaleństwo ogarniało go falą gorączki. Nie panował nad sobą. Wiedział jednak, że jego decyzji nic już nie zmieni. Nawet Anna.

– Okłamałeś mnie! – jęknęła. – Nie rób tego, Jacob! Tego nie wolno nam zrobić!

– Dlaczego!? – krzyknął. Czuł, że żyły napęczniały mu na szyi. Mogły eksplodować w każdej chwili. – Dlaczego nie, Anno? Pomogę im wrócić. Muszę. Wiem, że ty też tego chcesz!

Spojrzał przed siebie. Widział już cały pokój. Pod ścianą siedział chłopiec. Trzymał w dłoniach deskorolkę. Bawił się kółkami, obracając je palcami coraz szybciej i szybciej. Nad nim stał starzec. Głaskał go po głowie. Poły czarnego wojskowego płaszcza oplatały go niczym skrzydła ogromnej ćmy. Spojrzał na Jacoba. Te oczy. Pałały szaleństwem.

– To on? – Anna stała przy nim. Patrzyła w tym samym kierunku. – Ten chłopiec, czy...

Upiorny śmiech rozdarł gęste, trupie powietrze. Budynek zadrżał. Dziwne wibracje przeszły po ścianach, od trzewi, jakby wprost z fundamentów. Miller wstał z klęczek. W płucach i we krwi miał żywy, roztopiony ołów. Zmrużył oczy, próbując przywrócić im ostrość widzenia.

W tym samym momencie fala energii rzuciła go na ścianę. Nie był w stanie jej się oprzeć. Anna próbowała mu pomóc, ale odbiła się od jego boku jak szmaciana lalka. Runęła w dół ze schodów, uderzając głową o poręcz. Widział, jak upada wśród gruzów, nie dając znaku życia.

Miller przeszedł na kolanach w głąb pokoju. Dopiero teraz zauważył leżące na podłodze ciało. Mężczyzna w pomarańczowej kurtce. Wyglądał jak ci, których wyciągnięto z wagonu metra. Ponad nim, w głębi otworu w ścianie, lśniło urządzenie. To musiał być transmiter. Otępienie minęło. Podniósł się z klęczek i podszedł do urządzenia. Zawahał się. Astrid znów pojawiła się na linii światła. Wyszła do niego spośród cieni, zbliżyła się i pochyliła nad nim. Z jej oczu płynęły łzy. Zobaczył w nich to co kiedyś, to, za czym tak tęsknił... Przez te cztery lata tak bardzo chciał wedrzeć się do jej świata...

Chłopiec poruszył się. Miller z trudem przesunął na niego wzrok. Andrew przycisnął do piersi deskorolkę. Uśmiechnął się smutno. Skinął głową.

Miller zamarł. W tym samym momencie w jego kieszeni rozdzwonił się telefon. Obcy dźwięk, przeciągły, nierzeczywisty. Jacob z trudem wyciągnął aparat. Popatrzył na wiadomość wyświetloną na ekranie. Już wiedział.

Jasny punkcik zawisł tuż pod sufitem. Potem błękitna gwiazda powiększyła się, zawirowała i wybuchła, ogarniając cały świat. W nocy donośnym echem rozeszły się wojenne werble...

11 marzec 2004

To pana SHOW,
panie Mackormik

Peter Mackormik zatrzymał sportowy samochód przy czwartej przecznicy, naprzeciwko jadłodajni Ewansa, w której zwykł jadać lunch w towarzystwie kolegów z pracy. Tym razem nie miał czasu na przyjemności. Wysiadł na rozgrzany od słońca asfalt i trzasnął drzwiami. System alarmowy samochodu wydał z siebie krótki, urywany skowyt. Mackormik schował klucz do kieszeni i podbiegł do witryny sklepowej, omijając całującą się namiętnie parę nastolatków. Rzucił im przelotne spojrzenie, po czym nacisnął mosiężną klamkę i zanurzył się w chłodny cień pomieszczenia.

Sklep był pusty. Peter spojrzał na brudne szyby witryny i wziął głęboki oddech. Znajomy zapach, metaliczny, pozostawiający w nozdrzach dziwne uczucie, a na języku smak, który drażnił podniebienie przez wiele godzin. Półki sklepowe osaczały tu klienta ze wszystkich stron. Część towarów była okryta zamszowymi płachtami, niegdyś czarnymi, teraz wyblakłymi od słońca, upływu lat i wszędobylskiego kurzu. Reszta artykułów rozrzucona była w nieładzie, tarasując wąskie przejście. Mackormik ominął pająka, który właśnie opuszczał się z sufitu.

Skierował się w głąb sklepu i zatrzymał przy dębowej ladzie. Mocnym ruchem uderzył w zainstalowany na niej
dzwonek.

Dźwięk był ostry, głęboki, taki, który mógł obudzić
nawet umarłego. Na pana Fishburne'a także podziałał.
Kotara oddzielająca zaplecze od głównej części sklepu
uniosła się i do pomieszczenia wkroczył wysoki, chorob-
liwie chudy mężczyzna w starym dwurzędowym garni-
turze. Staruszek uśmiechnął się. Na policzki momentalnie wypłynął mu rumieniec. Wyciągnął w stronę Petera
kościstą dłoń i odwzajemnił mocny uścisk.

– Co będzie? – Fishburne zaczynał pogawędkę zawsze
w ten sam sposób. Nachylał się nad klientem, uśmiechał
i zacierał dłonie, czekając cierpliwie na odpowiedź.

Znajomość obu panów trwała wiele lat. Zaczęła się,
kiedy Peter jeszcze w czasie studiów odbywał staż w lo-
kalnej stacji telewizyjnej. Tam dostał pierwsze odpowie-
dzialne zadanie. Miał znaleźć brakujące części do wy-
służonego agregatu, który w najmniej odpowiednim
momencie odmówił posłuszeństwa. Pamiętał tamten
dzień bardzo dobrze. Zjeździł całe miasto, największe
centra handlowe i firmowe sklepy techniczne. Obdzwa-
niał firmy wysyłkowe, pytał specjalistów i znajomych. Na
próżno. Agregat był okazem pamiętającym czasy pierwszych filmów braci Marx i nigdzie nie można było znaleźć
pasujących do niego części. Niemal nigdzie. Ta cholerna
część znajdowała się tylko w sklepie pana Fishburne'a.

– Co będzie? – powtórzył sklepikarz.

– Dzień dobry. – Peter położył dłonie na blacie.
Uśmiechnął się także. – Szukam amplifera z wyjściem

buforowym, typ Altaman do głównego systemu rejestrującego.

– Ach, amplifer! – Fishburne pokiwał głową z powagą. Podniósł dłoń do ust i zastanowił się głęboko. – Tak! Typ Altaman...

Starzec wolno obszedł kontuar, ominął stos piętrzących się na podłodze pudełek. Zbliżył się do starej, przechylonej niebezpiecznie na bok szafy. Wspiął się na palcach, westchnął i z widocznym wysiłkiem zsunął z górnej części mebla płaski kartonik.

– Dawno pana nie było? – bardziej stwierdził, niż zapytał. Obrócił się do Mackormika i spojrzał mu uważnie w oczy.

– Żałuję, ale praca pochłania człowieka całkowicie. Nie miałem czasu. – Peter nie kłamał. Lubił przychodzić do tego sklepu. Odkąd jednak miał swój własny show w telewizji, każda sekunda życia była na wagę złota. Najczęściej wysyłał techników z listą zakupów, ale ci biegali tylko po centrach handlowych. – Dzisiaj wyjątkowo postanowiłem pana odwiedzić, wiedziałem, że ten typ amplifera można znaleźć tylko tutaj.

– Racja, racja. – Fishburne wyraźnie się ucieszył. Tego typu komplement zawsze był w cenie.

Mackormik obserwował, jak sprzedawca kładzie kartonik na kontuarze i delikatnie, niemal z namaszczeniem, zdejmuje pokrywkę, a potem odkłada ją na bok. Po chwili w dłoniach pana Fishburne'a zalśnił korpus amplifera. Lekko zakrzywiony łuk tarczowy, wąska prowadnica i magnesowa przekładnia charakteryzowały w stu procentach typ Altaman.

– Piękna rzecz. – Peter patrzył z podziwem na urządzenie. – Dzisiaj już takich nie robią.

– Kalibrowane z precyzją, jakiej w tych czasach nie uświadczysz. – Starzec pokiwał energicznie głową z aprobatą. Rumieniec na policzkach stał się jeszcze intensywniejszy. – Wykonane techniką ręczną, maszyny tego nie potrafią...

– Tak... – zgodził się Mackormik. Odruchowo spojrzał na złotego roleksa noszonego na lewym przegubie. – Myśli pan, że zdążę osadzić amplifer w systemie? Ładowanie potrwa jakiś kwadrans?

– Niecałe piętnaście minut – potwierdził Fishburne. Zapakował na powrót urządzenie do pudełka. – Zdąży pan na pewno.

– Dziękuję – powiedział Peter i przejął pakunek. – A jak idzie interes? Wszystko dobrze? – dodał, wyciągając z kieszeni portfel z gotówką.

– Nie skarżę się. A u pana? Wszystko dobrze?

– U mnie? – Zastanowił się. Poczuł ukłucie w żołądku, które w ostatnich miesiącach nawiedzało go coraz częściej. – Z każdym dniem gorzej – przyznał. Nie wiedział, dlaczego zebrało mu się na szczerość, być może, patrząc na pusty sklep Fishburne'a, poczuł, że ma ze starym sprzedawcą wiele wspólnego.

– Jak to?

– Show ma się coraz gorzej... – Mackormik wyłożył na ladę dwieście dolarów. – Oglądalność spada. Były lata sukcesów, ale sam pan rozumie... konkurencja, kiepskie pomysły...

– Rozumiem – w głosie starca można było wyczuć nutę autentycznego współczucia.

– Takie jest życie. – Peter uśmiechnął się blado. Kilka chwil wcześniej współczuł panu Fishburne'owi mało dochodowego interesu. Teraz uświadomił sobie, że jego sprawy mają się niewiele lepiej. – Nie wolno wszystkiego brać tak na serio. Szkoda zdrowia...

– Dobre podejście, naprawdę – zgodził się cicho sprzedawca. Zamyślił się. Jego dłoń znów powędrowała w stronę podbródka.

– Pójdę już. – Peter schował portfel i podniósł karton z ampliferem.

– Pan zaczeka! – Fishburne poruszył się gwałtownie. Kościste palce zacisnęły się na przegubie Petera. – Przypomniałem sobie, że ten amplifer jest uszkodzony – zawahał się. Wyrwał pudełko, nie zwracając uwagi na opór klienta. – Pan zaczeka. Wymienię na lepszy... to znaczy inny!

Stary okręcił się na pięcie i zniknął na zapleczu. Mackormik rozmasował bolący nadgarstek. Po raz pierwszy widział pana Fishburne'a tak poruszonego. Musiał przyznać, że poczuł się nieswojo. Nawet nie wiedział, jak zareagować. Na twarzy sprzedawcy dostrzegł coś dziwnego. Teraz, gdyby Peter był pewien, że znajdzie amplifer w innym miejscu, niechybnie opuściłby sklep i nigdy do niego nie wrócił. Nie miał jednak wyboru.

Przejmujący, niesamowicie głośny zgrzyt przerwał jego rozmyślania. Podskoczył, słysząc ten dźwięk. Zasłonił uszy dłońmi i skrzywił się, próbując zwalczyć świdrujący ból pod czaszką. To było trudne do opisania wrażenie. Jakby ktoś próbował zatrzymać w ruchu potężną maszynę. Wyraźnie było słychać, jak urządzenie zwalnia, przekładnie lub koło zamachowe tracą impet, a potem zatrzymują się.

Odruchowo spojrzał w stronę witryny sklepowej. Spodziewał się, że tłum ciekawskich gapiów naprze zaraz z ulicy, forsując drzwi wejściowe. Na pewno ten zgrzyt musiał być słyszany w odległości kilku przecznic od sklepu. Nic takiego jednak nie nastąpiło.

– Jest! – w tej samej chwili do uszu Mackormika doszedł przytłumiony głos sprzedawcy. – Mam!

Kotara zafalowała i pan Fishburne znów stanął przed Peterem. Na ladzie pojawiło się pudło. Zielone, w niczym niepodobne do poprzedniego.

– Spełniamy marzenia, panie Mackormik, co? – Starzec poruszał ramionami w dziwnym uniesieniu. – Sprzedajemy marzenia?

– Tak – odpowiedział niepewnie Peter i przejął amplifer od pana Fishburne'a. Nawet go nie obejrzał. Uśmiechnął się z trudem. Zauważył, że pudło było ciepłe, jakby ukryte w nim urządzenie jeszcze przed chwilą pracowało.

Peter wbiegł do Reality Tower kwadrans później. Przeszedł długim krokiem w stronę wind, mijając bez słowa kłaniającego się w pas portiera. W wąskim korytarzu czekało kilka osób, których nie znał. Obserwowały go, zerkając ukradkiem i wymieniając między sobą znaczące spojrzenia. Stojąca obok kobieta zaśmiała się w odpowiedzi na żart jednego z mężczyzn. Wydała z siebie skrzekliwy, wysoki chichot, który przypominał rechot czarownicy. Mackormik uśmiechnął się w duchu. Zaprosił kiedyś do programu kilka czarownic. Stukniętych starych bab z wybujałą wyobraźnią, które wróżyły z kart, fusów i wnętrzności kurczaka. Musiał przyznać, że był to jeden z najlepszych odcinków. Telefony dzwoniły do stacji całą noc i kolejny dzień.

– Peter? Dobrze, że cię widzę. Szukałem cię...

Poczuł na barku mocny uścisk. Momentalnie zbladł. Głos należał do prezesa sieci CNAC Sergiusa Bakera. Peter unikał go ostatnimi dniami jak ognia. Bał się tego, co może od niego usłyszeć. Miał złe przeczucia od dawna. Podejrzewał, co się święci. Teraz wpadł na przełożonego w najmniej odpowiedniej chwili.

– Serg? – Odwrócił się w stronę prezesa. Na twarz przywołał uśmiech z bogatego zestawu opracowanego przez lata pracy przed kamerami sieci CNAC. Wysoko uniesiona lewa brew, lekkie skrzywienie ust. Ułamek sekundy przerwy, a potem gwóźdź programu, odsłonięcie równych, bielutkich zębów, dopracowanych u najlepszego dentysty w mieście. Ten zestaw od lat powalał na kolana wszystkich rozmówców i telewidzów.

– Na mnie to nie działa, chłopie. – Baker przeniósł wzrok na windę, która zatrzymała się przed nimi. – Zresztą najwyraźniej nie działa to już na nikogo – dodał i lekko popchnął Mackormika przed sobą. – Jedziesz do góry? Do studia?

– Tak – Peter odpowiedział automatycznie. Ostre, długie szpile przeszyły mu żołądek. Wszedł do windy na miękkich nogach.

– Proszę, żeby państwo poczekali na kolejną windę – Sergius Baker wstrzymał napierającą na nich grupkę osób. – Dziękuję za zrozumienie.

Zanim drzwi się zamknęły, Peter zdążył zauważyć, jak z twarzy kobiety znika szeroki uśmiech. Teraz poczuł się nie lepiej od niej. Został sam w windzie z Sergiusem Bakerem. Pierwszym po Bogu, wielkim szefem CNAC. Mógł spodziewać się najgorszego.

– Co myślisz o Perkym Saddocku? – Sergius wcisnął guzik studia umieszczony najwyżej na panelu kontrolnym. Najwyraźniej nie miał zamiaru udać się do swojego biura na dwudziestym drugim piętrze.

– Perky Saddock? – powtórzył bezwiednie Mackormik. Zdążył się niemiłosiernie spocić. Musiał wytrzeć ukradkiem dłonie o spodnie, żeby pudełko z campliferem nie wyślizgnęło się z uścisku. Myślał intensywnie. Skąd to pytanie? Baker nie jechał do swojego biura, czyżby zamierzał być osobiście w studiu podczas Show? Przecież nigdy tego nie robił!

– Tak, Perky, co o nim myślisz? – prezes powtórzył pytanie. Patrzył w sufit, podziwiał jedną ze świetlówek wbudowanych w metalową płytę.

– Perky? Słabo go znam. – Wszyscy w stacji wiedzieli doskonale, że Perky Saddock był jego najgroźniejszym rywalem. Od kilku miesięcy deptał mu po piętach. Młody, zdolny, z nieskończonym zasobem świetnych pomysłów.

– Zdążyłem go poznać lepiej, Peter. – Prezes popatrzył mu w oczy. – Jest młody, zdolny, ma świeże pomysły...

– Brakuje mu doświadczenia. – Mackormik z trudem przełknął ślinę.

– Peter – skrzywienie ust szefa było aż nadto wymowne – przypomnij sobie swoje początki. Wzięliśmy cię z ulicy!

Nie odważył się zaoponować, choć to porównanie było wyraźnie krzywdzące.

– Lecimy na łeb na szyję – Sergius kontynuował spokojnym głosem. Musiał wszystko wcześniej przemyśleć. – Nasze notowania spadają, i to w prime timie. Nie możemy na to pozwolić!

– Odbijemy się. – Peter czuł, że jego głos słabnie. Nie potrafił znaleźć w sobie siły przekonywania. Być może ludzie mówili prawdę. Wypalił się do cna.

– Oddaję mu twój czas antenowy. To już postanowione. – Baker skrzyżował ręce na piersiach. To oznaczać mogło tylko jedno. Od powziętej decyzji nie było odwrotu. – Jeśli masz jakiś pomysł, oddam ci pasmo nocne. Dzisiaj będzie twoje ostatnie Show...

Winda stanęła. Drzwi otworzyły się. Mocne światło studyjnych lamp oślepiło Mackormika. Z ciężkim sercem opuścił windę. Ten dzień nadszedł. Musiał przygotować się do swojego ostatniego występu.

– Peter, kochanie, czemu jesteś taki blady? – Samantha Fox, etatowa kosmetyczka stacji, przywitała go w progu charakteryzatorni.

– Chciałem dać ci możliwość wykazania się. – Usiadł ciężko na obrotowym fotelu. Pudełko położył na kolanach. – Bierz się do roboty!

– Już się robi, szefie. – Samantha nachyliła się nad nim. Uśmiechała się. Poczuł, jak krągłe piersi dotykają jego barku. Bezwiednie położył dłoń na jej pośladku. Od razu zrobiło mu się lepiej. Ciepło w dolnej partii brzucha rozeszło się po całym ciele, uspokajając skotłowane nerwy.

– Co tam u ciebie? – zapytał, obserwując ją w lustrze.

– Kotku! – Przesunęła delikatnie dłonią po jego karku. – Nic mnie nie boli. Czuję się jak nowo narodzona. Po raz pierwszy od nie wiem jak dawna nie boli mnie głowa!

– Tak? – Peter zainteresował się. Znał ten chroniczny ból głowy Samanthy. Kiedyś podejrzewał ją, że udaje, z różnych powodów, czasem by nie pójść z nim do łóżka.

– A tu przestało! – w głosie kobiety można było wyczuć autentyczną ulgę. – Aż chce się żyć. Jak ręką odjął.

– Świetnie! – Ucieszył się autentycznie. Zastanawiał się, czy nie wykorzystać dobrego humoru kosmetyczki i nie zaprosić jej dzisiaj do siebie. Kolacja, wino, a potem udany seks.

– Pewnie, że świetnie. Czuję się tak, jakby już nigdy nie miała mnie...

– Samantho? – przerwał jej. – Dlaczego przestaliśmy być ze sobą? – Patrzył w lustro. Nie podobało mu się jego własne odbicie. Rzeczywiście był blady jak ściana.

– Nie chciałeś, żeby nasz związek wszedł na kolejny poziom, kotku. – Przetarła mu twarz chusteczką. Nasączyła ją ładnie pachnącym mleczkiem. – Ja muszę się rozwijać. Tobie zależało tylko na seksie. A seks można przecież mieć w każdej chwili...

– No tak – przyznał. Rzeczywiście, z Samanthą można było jedynie pójść do łóżka. Kolejny etap był nieosiągalny, skoro jedynym tematem rozmowy był nowy lakier do paznokci lub najnowsza szminka z błyszczykiem.

– Peter? – Mackormik usłyszał, że drzwi atelier gwałtownie się otwierają. Stanęła w nich Sylwia. Drobna, szczupła producentka Show. – Peter, słyszałam! – czuć było w jej głosie wyraźny żal.

– Co słyszałaś? – zainteresowała się Samantha.

Sylwia spojrzała na Mackormika, nie wiedząc, czy może mówić dalej. Nie uszło to uwadze Samanthy. Z hałasem rzuciła grzebień na stół.

– Perky przejmuje mój czas antenowy – poinformował ją Peter. Zdziwił się, że tak łatwo przeszło mu to przez gardło.

– Mój Boże! – Kosmetyczka załamała ręce. Patrzyła na niego tak, jakby właśnie usłyszała, że definitywnie zabroniono używania lakierów w spreju.

– Zrobili ci świństwo! – Sylwia poczerwieniała. – Powinni dać ci jeszcze szansę!

– Baker w przypływie litości dał mi pasmo nocne, Sylwio – powiedział. – Wpadniemy na jakiś pomysł i odbijemy się od dna.

– Nocne? – Współczucie Sylwii nagle straciło impet.

– Jesteś wspaniałą producentką, chciałbym cię mieć ze sobą. – Mackormik popatrzył jej prosto w oczy.

Opuściła wzrok. Zapatrzyła się w wytartą wykładzinę.

– Chcesz pracować ze mną? – zapytał.

– Normalnie... bardzo chętnie, gdybym tylko... – Współpracownica wyraźnie się zmieszała. Złączyła dłonie, wyginając je, jakby były zrobione z gumy.

– Gdyby tylko? – Wiedział, co teraz usłyszy. Poczuł, że brakuje mu powietrza.

– Perky zaproponował mi, żebym zajęła się produkcją... pewnie to długo nie potrwa, sam wiesz...

– Wiem. – Peter odwrócił się w stronę lustra. Dał znak, żeby Samantha kontynuowała swoją pracę. – Powodzenia, Sylwio. Na pewno odniesiesz sukces – powiedział.

W pokoju zapanowała grobowa cisza. Dopiero skrzypnięcie drzwi charakteryzatorni oznajmiło, że zostali sami.

– Świnia. Pipa grochowa. – Samantha zatrzęsła się z oburzenia. – A temu Perky'emu wydłubię oko konturówką, jak tylko tu usiądzie!

Peter uśmiechnął się.

– Dziękuję, Samantho – powiedział. Jego dłoń znów powędrowała w stronę kształtnego pośladka. – Ty jedna mnie rozumiesz. Dziękuję...

Peter założył ulubiony garnitur. Czuł się tak, jakby szykował się do ostatniej drogi na ziemskim padole. Nie mógł oprzeć się wrażeniu, że zaraz włożą go w nim do trumny, odmówią modlitwę i pogrzebią żywcem na najbliższym cmentarzu.

Był już niemal całkowicie gotowy do rozpoczęcia Show. Postanowił, że tym ostatnim programem pokaże wszystkim, że jeszcze się nie skończył, że Peter Mackormik wciąż ma w sobie to coś i przyciąga jak magnes zachwyconą widownię.

Wyjrzał za kurtynę. Widzowie powoli zajmowali krzesełka, przytłumione głosy rozpraszały się w studiu. Peter spojrzał na ekipę techniczną i obsługę kamer. Chłopcy znali się na swojej robocie. Byli już na swoich miejscach, dokonywali teraz drobnych korekt w ustawieniu planu.

Mackormik spojrzał jeszcze w górę, na reżyserkę. Za szklaną taflą dostrzegł postać Sergiusa Bakera. Stał tam z nosem przy szybie i kubkiem kawy w dłoni. Jak sędzia, który ma ogłosić wyrok dobrze wszystkim znany jeszcze przed zakończeniem procesu.

Peter przeniósł pudełko w stronę centralnego układu wirtualnej wizualizacji. Musiał jeszcze umieścić amplifer w slotach. Jeśli ładowanie nowej instalacji w systemie trwało kwadrans, powinien się pospieszyć, za dwadzieścia minut wejdą na wizję.

Podniósł wieczko i zważył amplifer w dłoniach. Był lekki, bardzo lekki. Fosforyzował dziwnym zielonkawym światłem. Już na pierwszy rzut oka widać było, że brakuje magnesowej przekładni, tutaj zastąpiono ją czymś w rodzaju turbiny wpuszczonej bezpośrednio w obudowę. To na pewno nie był typ Altaman. Fishburne się pomylił.

Peter poczuł, że traci panowanie nad sobą. Najchętniej rozbiłby urządzenie o podłogę i rozgniótł butami szczątki. Podszedł do konsolety umieszczonej w centralnym punkcie sceny. Odciągnął obudowę i w pusty slot wpakował urządzenie. Tak jak podejrzewał, nie pasowało. Amplifer nie był kompatybilny z płytą główną komputera emisyjnego.

– Szlag by cię trafił, ty mały, pieprzony draniu! – wyrzucił z siebie.

Zmierzył urządzenie nienawistnym wzrokiem, jakby ono było winne wszystkich jego niepowodzeń. Zacisnął z całej siły dłoń, zamachnął się i w ostatniej chwili doznał olśnienia. Odwrócił amplifer i z całej siły wepchnął w pusty slot. Coś szczęknęło. Centralny układ wirtualnej wizualizacji zaskoczył, zabuczał i automatycznie rozpoczął program startowy.

Peter otarł pot z czoła i zaśmiał się nerwowo. Stało się coś dziwnego. Znów to osobliwe wrażenie. Przeszywający zgrzyt. Szum przesuwających się przekładni, dominujący, wypełniający otoczenie, wszędobylski dźwięk. Z trudem opanował drżenie dłoni. Serce powoli wracało do normalnego rytmu. Spojrzał w górę. Lampka sygnalizacyjna rozbłysła niebieskim światłem. Do rozpoczęcia Show zostało dziesięć minut.

– Rękawica sterująca, panie Mackormik. – Technik Arne, Irlandczyk z pochodzenia, przemknął bocznym przejściem w jego stronę. – Już podłączona do systemu.

– Dziękuję – powiedział Peter. Przejął rękawicę i ostrożnie wsunął w nią palce. Miała cielistą barwę, dostosowaną kolorystycznie do karnacji skóry Mackormika. Nikt na wizji nie miał prawa jej zauważyć. Szczelnie opięła dłoń i nadgarstek. Cieniutka osłonka rozbłysła zielonkawym światłem mikroprzewodów i cichym buczeniem dała sygnał gotowości.

– Arne, jeszcze słuchawka – przypomniał Peter. Zacisnął kilkakrotnie dłoń, poprawiając ułożenie rękawicy.

– Już się robi, szefie. – Arne wyciągnął z kieszonki na piersi pudełeczko, otworzył je i podał Mackormikowi zestaw transmisyjny.

Peter podziękował skinieniem głowy. Zainstalował w uchu odbiornik i dał sygnał technikowi, by opuścił scenę.

– Zaraz wszystko się zacznie – powiedział do siebie. – Zacznie i skończy. Tu, w tym miejscu!

Słyszał, że głosy na widowni cichną. Zawsze tak było. Znał to podświadome napięcie wśród widzów. Oczekiwanie na rozpoczęcie czegoś niezwykłego.

– Za chwilę zejdą z wizji reklamy, Peter – z zainstalowanego przy uchu głośniczka popłynął głos z reżyserki. – Masz dwadzieścia sekund!

Mackormik był gotowy. Wiedział, że kiedyś ten moment nadejdzie. Pożegnanie z Show. Ostatni występ przed miliardami telewidzów z całego świata.

– Najpierw zapowiedź ze studia. Po niej kurtyna i będziesz na wizji. Odliczam: 10, 9, 8...

Peter zamknął oczy. Od strony publiczności dobiegły go słabe, wymuszone oklaski. Już sam nie pamiętał czasów, w których ludzie żywiołowo reagowali na sygnały klakiera.

– 5... 4... – głos z reżyserki stawał się coraz głośniejszy.

– Show! Czas zacząć Show Petera Mackormika! Żywa legenda wirtualnej telewizji. Program nadawany na żywo na kanale 5 Intertelewizji! Przekazywany do wszystkich ziemskich kolonii w czasie rzeczywistym dzięki sieci CNAC. Obsypany nagrodami, w tym specjalną nagrodą nadawców i stowarzyszeń panwizualnych za największy skok w technice przekazu!

– Show! Czas zacząć Show – wyszeptał Mackormik i otworzył oczy.

Kurtyna rozbłysła fosforyzującymi światłami i przy dźwiękach programowego motywu muzycznego bezszelestnie się rozsunęła.

Mackormik pewnym, sprężystym krokiem przesunął się na środek sceny. Przystanął ustawiony bokiem do publiczności. Spojrzał w obiektyw najbliższej kamery i zamarł z szerokim uśmiechem na ustach. Chwila niepewności przedłużała się. Peter wyglądał tak, jakby jakaś siła zmroziła go w pół kroku. Jedna ręka zwisła bezwładnie wzdłuż ciała, a druga zgięta w łokciu zatrzymała się na wysokości jego piersi.

Wśród publiczności rozległy się z rzadka chichoty. Po chwili dołączyły kolejne, głośniejsze. Gdy puścił oko do kamery, co doskonale widać było na głównym telebimie, ludzie oszaleli. Śmiech i oklaski rozbrzmiały z siłą, której w studiu nie pamiętano.

Czekał na ten moment. Błyskawicznie wyprostował się i z całej siły klasnął w dłonie.

Z rękawicy sterującej wyskoczyły iskry, formując kolorowy, świetlisty neon. Zjawisko falowało leniwie, rozmywało się, jakby jego twórca nie mógł objąć nad nim pełnej kontroli. Potem jednak neon zrobił nagły zwrot, efektowny korkociąg i zawisł nad głową Petera, wybuchając niczym najefektowniejszy fajerwerk. Ogromny, lśniący napis SHOW wprawił publiczność w zachwyt. Peter Mackormik wydawał się w szczycie formy!

Teraz scenografia, pomyślał. Spojrzał na reżyserkę. Sergius Baker odłożył właśnie kubek z kawą. Patrzył z coraz większą uwagą. To był dobry znak. Peter miał szansę wszystko odwrócić. Musiał jednak coś teraz szybko wymyślić. Coś, co ich zaskoczy, wprawi w zdumienie. Najważniejsza jest atmosfera, wszystko zależy od wyobraźni. Czego potrzebuje tłum? Igrzysk? Rozrywki?

Uniósł dłoń i wycelował ją w górę, w punktowe światła zawieszone wysoko ponad głową. Wyprostował wskazujący palec, uaktywniając ponownie rękawicę sterującą. Obwody ożyły pobudzone impulsami informacji przesyłanymi z mózgu Petera do centralnego systemu wirtualnej wizualizacji. Rękawica była jego pędzlem, zaczarowanym ołówkiem, którym mógł narysować wszystko, co chciał. Wszystko, co mieściło się w granicach sceny objętej działaniem amplifera.

Za plecami Mackormika pojawił się zarys rzymskiego Koloseum. Wirtualny piasek zachrzęścił pod jego butami, jakby był zupełnie rzeczywisty. Ciepły wiatr zatrzepotał chorągwiami, wprawiając w ruch logo programu.

Brakowało jeszcze lwa. Ryczącego, wielkiego i groźnego lwa.

Spojrzał w stronę publiczności. Nie zobaczył na ich twarzach zachwytu. Niektórzy z widzów pochłonięci byli rozmową, inni zażerali się popcornem. Prezes Baker wyraźnie zawiedziony odwrócił się tyłem do szyby. Najprawdopodobniej miał zamiar opuścić reżyserkę.

Peter potrząsnął dłonią, jakby odganiał muchę. Koloseum, chorągwie i na wpół zmaterializowany lew rozpłynęły się. Przypomniał sobie, że już kiedyś ich użył. W jednym ze swoich pierwszych programów. Czyżby rzeczywiście się wypalił? Nie stać go było na wymyślenie czegoś innego?

– Będzie inaczej, proszę państwa! – powiedział głośno. – Dzisiejszego wieczoru nie zapomnicie do końca życia! Pokażę wam prawdziwego Petera Mackormika. Prawdziwe Show!

Zamilkł. Opuścił głowę. Wyglądał tak, jakby zrezygnował. Jakby jakiś wielki ciężar troski czy odpowiedzialności przytłaczał go do ziemi. Jakby toczył ze sobą walkę. Opuszczony, zdruzgotany, poniżony.

Nagle za jego plecami rozbłysło mdłe, białe światło. Objęło całą postać Petera. Być może pochodziło właśnie od niego. Rozszerzało się, rosło w siłę. Tył sceny zadrżał. W miejsce niedawnych murów Koloseum pojawiły się śnieżnobiałe ściany, zamiast piasku jak za dotknięciem różdżki pojawiła się sterylna, równie biała jak śnieg podłoga.

Nie podnosił głowy. Miał zamknięte oczy. W jego umyśle powstał obraz, który zaraz przeniesie na scenę. Był panem tego miejsca. Mógł przecież zrobić z nim wszystko, co chciał, ograniczała go jedynie wyobraźnia. Któż, jak nie on, miał ją największą?

Palce w rękawicy sterującej niezauważalnie drgały. Przekazywały dane, które amplifer przetwarzał i błyskawicznie materializował. Na środku sceny pojawiła się długa, pokryta białym futrem kanapa. Jedynie brzegi mebla, wąska obwódka wokół obicia i proste, wygięte w łagodny łuk nóżki wykonane zostały z mahoniu. Oprócz mebla, białych ścian, podłogi oraz Mackormika na scenie nie pojawiło się nic więcej.

Cisza. Kompletna cisza. Tak jak się spodziewał. Nie było fajerwerków, efektów specjalnych, rozmachu, a mimo to przyciągnął ich uwagę. Zawsze chciał tego spróbować. Wierzył, że wirtualna scena może być zaledwie dodatkiem do tego, co naprawdę ważne.

– Niech wejdzie, teraz – powiedział cicho, dając znak do reżyserki.

Gwałtownym ruchem dłoni zakreślił w powietrzu regularną figurę. Na ścianie po prawej stronie sceny pojawiła się rysa. Powiększała się, jakby ktoś kawałkiem węgla odrysował na białym tle ogromny prostokąt.

Peter zacisnął dłoń i skierował nadgarstek w dół. Prostokąt oddzielił się od ściany, zwinął niczym kartka papieru, otwierając przejście. Z ciemności wyłoniła się postać.

– PANIE I PANOWIE! PRZED WAMI HANN SCOTT MILLER! PIĘCIOKROTNA ZDOBYWCZYNI OSCARA. AUTORKA KSIĄŻKI „MIĘDZY NIEBEM A PRAWDĄ". ZAŁOŻYCIELKA FUNDACJI „MILLER – W OBRONIE PORZUCONYCH ZWIERZĄT". SPECJALNIE DLA WAS. W EKSKLUZYWNYM SHOW OSTATNIA DAMA ŚWIATOWEGO MUSICALU!

Gorące oklaski przywitały wchodzącą na scenę drobną, przygarbioną staruszkę. Hann Miller żwawo ruszyła w jego stronę. Ubrana była w długi, sięgający ziemi płaszcz, który falował przy każdym jej ruchu. Legenda kina, uwielbiana przez miliony. Stroniąca od dziennikarzy, zaszyta w małym wiejskim domku gdzieś w Europie. Mackormik miał szczęście, że po tylu latach próśb zgodziła się wystąpić w Show. Skusił ją obietnicami. Powiedział jej, że to będzie najlepszy program w dziejach pantelewizji. Powiedział, że specjalnie dla niej przygotuje coś niepowtarzalnego. Tylko dlatego się zgodziła.

Owacja na stojąco. Oklaski mieszają się z dźwiękami piosenki z jej pierwszego musicalu. Hann Miller zatrzymuje się obok Petera. Kłania się publiczności. Macha do kamery dłonią odzianą w kremową rękawiczkę. Obraca się. Chłodnym okiem patrzy na scenografię. Początkowy szeroki uśmiech momentalnie gaśnie na jej twarzy.

Mackormik już wie, że ją zawiódł. Jego zadaniem było wciskać w siedzenia tych, którzy włączali telewizory. Show miało zwalać z nóg. Zaproszeni goście powinni krzyczeć ze strachu, odpowiadać na zaskakujące pytania rozsadzani krążącą w żyłach adrenaliną. Tak jak było to w latach świetności, gdy rozmawiał z gwiazdami zawieszony nad wulkanem, nad wrzącą lawą przepływającą pod stopami, czy choćby na oceanie w czasie sztormu, wśród przełamujących się ponad zaproszonymi gośćmi fal.

Gwiazda była wyraźnie zdegustowana. Wiedział, że oni wszyscy, bez wyjątku, żyli Show. Chwalili się nim między sobą. Hann Miller mogła się czuć zawiedziona. Białe ściany i kanapa, nic więcej.

– Dziękuję, że przyjęła pani zaproszenie! – Peter przyjął łaskawie podaną dłoń. Schylił się, by musnąć ustami rękawiczkę.

– Mam nadzieję, że nie będę żałowała! – kobieta zaskrzeczała chrapliwie, wykrzywiając się do kamery.

Publiczność zareagowała gromkim śmiechem.

– Wszystko przed nami! – Mackormik także się uśmiechnął, wskazując Hann Miller miejsce na sofie. – Dzięki pani będzie to niepowtarzalne Show!

Usiedli.

Aktorka wyraźnie się uspokoiła. Ukradkiem zerkała na boki, spodziewając się jakiejś niesamowitej niespodzianki. Szczebiotała coś o długiej podróży z Europy, o tym, że śpiewała w samolocie „Loose Mary, show me your heaven", i o tym, jak dawno nie była w Ameryce. Peter w tym czasie przekazywał dane do systemu. Za ich plecami zmaterializowała się złocona, ogromna rama, w której niczym na ekranie telewizora przewijały się czarno-białe urywki musicali z udziałem Hann Miller.

– Tak, pamiętam mój pierwszy film z Alanem! Byłam zachwycona. Gdy po raz pierwszy usłyszeliście mój głos...

Czuł, że rozmowa idzie w dobrym kierunku. Hann Miller zachowywała się swobodnie, odpowiadała na pytania z fantazją, jakiej się po niej spodziewał. Ludzie słuchali, przynajmniej na razie, wiedział jednak, że zarówno ona, jak i widzowie czekają. Każdy zastanawiał się w głębi ducha, co dalej. Przecież musiała być jakaś kulminacja. Show nie opierało się na samej rozmowie! Kto, na miłość boską, w tych czasach chciał słuchać wynurzeń starej gwiazdy musicali?

– Miałam tylko jedno marzenie... – Hann Miller skromnie opuściła oczy. Wpatrzyła się w swój płaszcz. Strzepnęła z kolan niewidzialny pyłek.

– Jakie? – zainteresował się Peter. – Powiedz jakie. W tym programie możemy zrobić dla ciebie wszystko!

– Naprawdę? – zapytała z udawanym niedowierzaniem. Popatrzyła mu prosto w oczy. – Jesteście w stanie to... zrobić?

– Powiedz tylko co?! Wszystko dla Hann Miller! – Wiedział, że Hann idzie mu w tej chwili z pomocą. Postanowiła wziąć sprawy w swoje ręce. Być może podejrzewała, że nie miał żadnego pomysłu.

Na sali rozległy się zachęcające oklaski.

– Zawsze marzyłam o jednym. – Gwiazda poprawiła się na sofie. – Nie chciałabym, żeby państwo pomyśleli, że to dziwactwo starej wariatki...

W studiu rozległy się głosy zaprzeczeń. Dołączyły do nich jeszcze burzliwsze oklaski.

– Chciałam zawsze wystąpić z Elvisem! Elvisem Presleyem! On ma taki piękny głos. Taki piękny! – Hann Miller bliska omdleniu oparła się o sofę. Zatrzepotała rzęsami, jakby nagle zawstydziła się swoich zwierzeń. Pokręciła głową, wpatrując się w Petera.

– Hann! – Mackormik wstał. Wyciągnął dłoń przed siebie, celując ją w miejsce, gdzie jeszcze przed chwilą siedział. Poczuł pieczenie pod rękawicą. Zignorował je. – Tylko Show spełnia marzenia!

Z palców Petera wytrysnęły czerwone iskry. Połączyły się, zgęstniały i w ułamkach sekundy na kanapie, obok Hann Miller, pojawił się Elvis Presley.

– Witaj, dziecinko! – Elvis nonszalanckim ruchem dłoni poprawił swoją fryzurę. Podniósł się z kanapy i okręcił na pięcie. – Wreszcie z powrotem. Wśród żywych! – Mrugnął lewym okiem i unosząc brew, zapytał: – Czy zrobisz mi ten zaszczyt?

Hann Miller wyskoczyła ze swojego miejsca, jakby miała sześćdziesiąt lat mniej. Przy histerycznej wrzawie publiczności ujęła pod ramię Elvisa, ściskając jego skórzaną, ozdobioną powiewającymi frędzlami i cekinami kurtkę. Oboje ruszyli na przód sceny i w jednej chwili zaczęli śpiewać „Love me tender". Spojrzał w stronę reżyserki. Sergius Baker stał przy szybie. Wydawało się, że się uśmiecha. Kilka osób krzątało się za jego plecami. Odbierali telefony. Doskonale to było widać.

– Pet! Idziemy do góry, Pet, słyszysz mnie? – rozpoznał w słuchawce głos Sylwii. – Oglądalność wzrasta. Tak trzymaj!

Hann Miller była w swoim żywiole. Podobnie Elvis. Chwycił właśnie partnerkę w pasie, przechylił ją i śpiewał do ucha, robiąc ten dziwny, charakterystyczny ruch kolanami. Publiczność wstała z miejsc. Zaczęła klaskać i śpiewać razem z nimi.

Lekki ruch rękawicą sterującą i zmiana świateł. Stały się bardziej romantyczne. Punktowe lampiony oświetliły główne postaci na scenie. W tym momencie gwiazda wyrwała się z objęć Elvisa i zbiegła ze sceny. Zeszła do publiczności, śpiewając teraz w duecie z jakąś młodą dziewczyną. Wtedy Presley zrobił coś, czego Peter się nie spodziewał. Cofnął się w głąb sceny. Wziął ogromny rozbieg i skoczył w stronę widowni.

Publiczność zamarła. Hann Miller urwała w pół słowa. Peter poczuł, że serce nagle przestało mu bić. To było niemożliwe. Wirtualny obraz Presleya powinien odbić się od granicy sceny jak od ściany! Wizualizacja miała prawo działać jedynie w obrębie kilkunastu metrów kwadratowych objętych systemem! Obraz powinien rozpaść się na kawałki, zanim dotknął podłogi przy widowni!

– Wróciłem! – krzyknął Presley. Najwyraźniej nic sobie nie robił z praw fizyki.

– Król powrócił! – odpowiedziała mu spazmatycznym krzykiem publiczność.

– Tak, dziecinko! – Elvis podniósł do góry ręce i zaintonował: – „I'm back".

Ludzie oszaleli, tego jeszcze nie było.

– Jak to zrobiłeś, Pet? – w słuchawce rozbrzmiał głos Bakera. – Jak to zrobiłeś? Zresztą nieważne. Znowu jesteś w grze, Pet! Słyszysz? Znowu jesteś w grze! Teraz oglądają nas wszyscy!

Mackormik stał oniemiały pośrodku sceny. Popatrzył na swoją dłoń i rękawicę sterującą. Próbował zrozumieć, co się stało. Czuł mrowienie w palcach. Na wierzchniej stronie dłoni pojawiły się zielone żyłki. Pulsowały, jakby pompowały do serca szmaragdową, fosforyzującą krew. Otrząsnął się. Spojrzał na publiczność. Wszystkie kamery skierowane były na Elvisa, który wolnym krokiem przechadzał się pomiędzy rzędami widzów. Jak to się mogło stać? Jak? Wirtualna projekcja wyrwała się spod kontroli? Hologram miał swą własną wolę? Mógł tak po prostu zejść ze sceny i pójść w świat? A może to nie jest wirtualna projekcja?

Zastanowił się. Poczuł falę gorąca, która spłynęła na jego policzki. Może to...

– Show, czas zacząć prawdziwe Show! – powiedział do siebie i zaśmiał się głośno. Klasnął w dłonie. Uczucie pieczenia naskórka minęło. – Kogo teraz ściągnąć do programu? Kogo tylko będę chciał! – odpowiedział sam sobie. To będzie najbardziej dystyngowany gość, pomyślał. Gość, jakiego jeszcze tu nie miałem!

Elvis momentalnie rozpłynął się w powietrzu, w pół słowa. Znikła też Hann Miller. Odesłał ją bezpośrednio do jej domku w Europie. Tłum zamarł. Rozległy się pojedyncze, niecierpliwe gwizdy. Nie zwracał na nie uwagi. Rękawica sterująca rozpoczęła swoją pracę. Przekazała dane do amplifera.

– Panie prezydencie? – Przesunął się na środek sceny. – Panie prezydencie, czy możemy do nas prosić?

Wskazał dłonią punkt, w którym system powinien był umiejscowić zaproszoną osobę. Materializacja trwała ułamki sekundy. Obok Petera zgęstniało powietrze.

Na scenę wskoczył niski, lekko przygarbiony mężczyzna. Zachwiał się. Mackormik zdążył go jednak przytrzymać, chroniąc przed upadkiem.

– Witamy pana prezydenta! – Otoczył gościa ramieniem, przesuwając na przód sceny. – Cieszę się, że przyjął pan po tylu latach próśb – sarkazm w głosie był zamierzony – zaproszenie do naszego programu. Przyznam, nie mogłem się doczekać!

– Ja... – Prezydent rozglądał się wokół siebie nieprzytomnym wzorkiem. Światła lamp scenicznych wyraźnie go oślepiały. Wciąż ściskał w dłoniach skórzany notatnik.

Na widowni rozległy się pojedyncze śmiechy i nieśmiałe oklaski. Kilku widzów wciąż gwizdało, domagając się powrotu Elvisa.

– Czyżbyśmy ściągnęli pana w nieodpowiednim momencie? Najwyraźniej przerwaliśmy ważną rozmowę?

– Rozmawiałem... z szefem... obrony... – prezydent odpowiadał automatycznie. Jego początkowe zaskoczenie przeradzało się w przerażenie. – Co ja tu... jak ja się znalazłem w...

– W Show! – Mackormik wykrzyczał nazwę programu, uśmiechając się do kamery. – Uczestniczymy w największym Show na tej planecie!

– Niech pan mnie natychmiast odstawi do mojego gabinetu! – Prezydent odzyskał rezon. Koniuszki jego uszu niebezpiecznie się zaczerwieniły.

– Odstawimy pana zaraz po...

– Natychmiast! – prezydent krzyczał. Zaczął gestykulować, wymachując dłońmi przed twarzą Petera. – Zajmie się tym incydentem Komisja do Spraw...

Mackormik skrzywił się. Rozmowa najwyraźniej się nie kleiła. Publiczność także była zniecierpliwiona.

– Wymienimy prezydenta? – krzyknął w stronę tłumu. – Wymienimy?

– WYMIENIMY! – nieliczne osoby odpowiedziały na okrzyk.

Urzędujący prezydent znikł, na jego miejsce pojawił się prezydent Abraham Lincoln. Najwyraźniej został oderwany od oglądania pasjonującego przedstawienia. Uderzał właśnie w dłonie. Prawdopodobnie nie dostrzegł jeszcze zmiany otoczenia.

– Witam szanownego Abe Lincolna! – Peter sam zaczął bić brawo.

– Kim jesteś, chłopcze? – Lincoln zawahał się. Przyglądał się uważnie Mackormikowi. – Kto cię przysłał?

Gwizdy na widowni stały się głośniejsze. Show wcale się nie podobało. Najwyraźniej publiczność wierzyła, że zaproszeni prezydenci byli zwykłymi hologramami. Nie mieli pojęcia, że są prawdziwi, z krwi i kości! Zaklął pod nosem. Jak miał im to udowodnić? Jak?

– Kogo byście chcieli? – zawołał w stronę widowni, ignorując Lincolna. Ten znikł dopiero po chwili. – Sprowadzę wam każdego, kogo tylko chcecie!

Wśród ludzi podniósł się szmer. Zauważył kpiące machnięcie ręką, głupawe i cyniczne uśmiechy. Dał im do zrozumienia, że sam nie ma pomysłu. Pytał się o radę ich – widzów.

– Peter, zrób coś, znów jest gorzej – w słuchawce rozległ się głos Sylwii. – Baker chce wyjść. Zdenerwował się. Ludzie nas wyłączają. Jeśli masz jakiś pomysł, zrób to teraz! Teraz, słyszysz?

Słyszał. Słyszał doskonale. Tylko nie wiedział, czy po-trafi jeszcze coś zrobić. Poczuł znane mu dobrze ukłucie w żołądku. Strach. Koszmar, który śnił mu się codzien-nie, odkąd zaczął tworzyć Show. Koszmar, z którego bu-dził się w środku nocy zlany potem. Zły sen, który przy-prawiał go o dreszcze, o kompromitacji, o upadku Show, o tym, jak go zwalniają i dożywa samotnie końca swoich dni w jakimś obskurnym hoteliku.

– Kogo byście chcieli? – zapytał cicho. – Kogo? Kos-mitę? Zielonego ufoludka?

Niech będzie obcy, pomyślał. Najbardziej nieziemski obcy, jakiego widzieliście. Jeśli takowy jest gdzieś w tym całym pieprzonym kosmosie.

– Urhmarkurgaahr... – przybysz urwał w pół słowa.

Peter zauważył, że obcy nie jest wcale zielony. Był duży, okrągły, pokryty złotym, lśniącym futrem. Z po-dłużnej, pofałdowanej głowy zwisała mu trąba, która te-raz lekko drżała. Co najgorsze, przybysz nie wzbudził najmniejszego zainteresowania widowni.

Uderzenie w twarz. Coś lepkiego przykleiło mu się do policzka. Ściągnął breję, wycierając ją rękawem. Po-midor. Ktoś rzucił w niego pomidorem!

Zacisnął pięści. Rozsadzała go furia, którą tłumił w sobie przez te wszystkie lata. Miał ich już wszystkich dość. Miał dość tego wszystkiego. Już dawno powinien był zająć się czymś innym. Przecież nikt nie był w sta-nie ich zadowolić. Dogodzić tym pazernym, wybrednym ludzikom. Tym krwiopijcom, którzy czekali tylko na to, by się potknął. Znał te gęby wpatrzone w telewizory, te bezduszne manekiny pragnące rozrywki jego kosztem. Dlaczego niby miał się tym wszystkim przejmować? Po jaką cholerę? Dla nich? Przecież nigdy nie usłyszy od nich choćby słowa wdzięczności. Gdy upadnie, nikt mu nie pomoże. Przeciwnie, zmieszają go z błotem!

– Chcecie Show? – wykrzyknął, unosząc gwałtownie ręce do góry. Zatoczył nimi ogromne koło. Obcy rozpłynął się w mglistej poświacie. – Chcecie Show?

Widownia odpowiedziała donośnym okrzykiem:

– Chcemy!

Peter spojrzał na ich wykrzywione w ohydnych, prymitywnych grymasach twarze.

– Będziecie mieli Show, na jakie zasłużyliście! – zaśmiał się głośno, chrapliwie. – Pamiętajcie! Sami tego chcieliście.

Znów rozległy się chichoty, gwizdy, udawane brawa. Droczyli się z nim. Drwili z niego.

– Panie i panowie! – wydobył z gardła basowy głos wprawiający w drżenie całą salę. – Mam niewysłowioną przyjemność przedstawić państwu słynnych na cały świat jeźdźców na ich rączych, wspaniałych koniach! – tu zrobił efektowną przerwę. – Oto przed państwem... jedyni i niepowtarzalni! Jeźdźcy... Apokalipsy!

Powietrzem wstrząsnęły olbrzymie wyładowania. Niebieskie refleksy odbiły się na zaskoczonych twarzach. Od sceny zawiał gorący wiatr. Peter poczuł woń spalenizny, trupi, mdły odór, który jego samego przyprawił o dreszcze. Piekielny wizg odbił się echem od sufitu studia, rozsadzając bębenki w uszach. Po chwili dołączył do niego głęboki, dudniący tętent kopyt, który zabrzmiał jak wyrok.

To było jak huragan. Ogromne, spocone bestie wtargnęły gwałtownie, ze zwierzęcą furią, która rzuciła przerażonych ludzi na kolana. Kopyta w szaleńczym tańcu obracały w proch siedzenia, mięśnie drgały pod naprężoną, czarną jak smoła skórą. Grzywy zakotłowały się w obłąkańczym pędzie. Z gardeł jeźdźców wydobył się diabelski ryk.

Oni byli bardziej przerażający od swoich wierzchowców. W lśniących, czarnych jak nocne niebo płaszczach. Z kapturami naciągniętymi tak, by nie było widać ich twarzy. Krążyli w powietrzu, spinając konie, a potem gwałtownie zmuszając je do galopu. Ciskali błyskawice, które przecinały powietrze, tworząc majestatyczne zygzaki. Czekali tylko na rozkaz. Czekali na sygnał od Petera Mackormika.

Spojrzał na przerażone twarze. Na białe, trupie policzki, szkliste oczy i drżące ramiona skulonych ludzi.

– Jak Show? – zapytał, przenosząc wzrok na obiektyw najbliższej kamery. – Podoba się? A jak tam przed telewizorami? Może troszeczkę nudno?

Zaśmiał się. Podniósł ramiona i dał wyraźny sygnał jeźdźcom. Czuł się jak dyrygent w operze. Z pysków bestii spłynęła piana. Źrenice rozbłysły czerwienią. Wskazał na reżyserkę. W ułamku sekundy kopyta roztrzaskały szybę, a rumak wdarł się do środka. Pozostali jeźdźcy rozdzielili się, zatoczyli koła i przedarli przez ściany studia, zmierzając w różne strony świata.

Zamknął oczy. Nie chciał tego. Nie był krwawym, żądnym odwetu draniem. Nie był jednym z nich.

– Stop! – krzyknął. Dla dodania siły swoim słowom klasnął w dłonie. – Stop!

Zapanowała cisza. Kompletna. Peter otworzył oczy. Ten widok mógł przerazić. Zatrzymany w stop-klatce film. Aktorzy ustawieni w wymyślnych pozach, zamarłe w przerażeniu twarze. Odłamki szkła powstrzymane w powietrzu, jakby nie wiedziały, czy zmierzać teraz w dół, czy w górę. Damska torebka zawieszona nisko nad podłogą. Otwarta, z zawartością rozsypaną w powietrzu, ułożoną w artystyczny kolaż.

Zadrżał, spodziewał się teraz gromu z jasnego nieba. Był pewien, że za chwilę poniesie karę za swoje zuchwalstwo. Zatrzymał to wszystko. Wystarczyło, że powiedział jedno słowo. Jedno jedyne słowo! Nikt i nic go nie powstrzymało!

Wolnym krokiem opuścił scenę. Poruszał się jak automat. Jak we śnie pokonywał kolejne schodki. Obraz, który do niego docierał, wydawał się nierzeczywisty, rozmyty. Miał wrażenie, że za chwilę się obudzi, że całe życie, które do tej pory przeżywał, okaże się jedynie koszmarem.

Zatrzymał się przy widowni. Na chwilę. Nie mógł się powstrzymać. Nieruchomy tłum przyciągał go jak magnes. Za wszelką cenę musiał dotknąć woskowych manekinów. Spojrzeć w zastygłe w przerażeniu, maskowate twarze. Przynajmniej przez chwilę chciał poczuć to, co czują oni.

Wybrał najbliższego z nich. Starzec trzymał się kurczowo fotela. Patrzył gdzieś w dal. Skulony, z szeroko otwartymi oczami. Peter nachylił się nad nim i dotknął nieruchomego policzka. Poczuł pod opuszkami palców chłód. Przenikający do szpiku kości mróz, jakby mężczyzna został wyrzeźbiony w bryle lodu. Mackormikiem wstrząsnęły dreszcze. Odsunął się. Ogarnęła go nieodparta chęć ucieczki. Musiał jak najszybciej wyjść

ze studia na zewnątrz, na ulicę. Musiał zaczerpnąć świeżego powietrza.

Słońce zawisło wysoko ponad dachami domów. Ogromne, nienaturalnie żółte. Przykryte było do połowy nieruchomą chmurą. Zastygło niczym na pejzażu marnego artysty, z dodatkowym efektem zatrzymanych w locie ptaków, nieruchomych domów, samochodów i ludzi. Peter przystanął na środku ulicy. Budynki po obu stronach przypominały bryły zrobione z kartonu. Samochody zatrzymane w biegu wyglądały jak zabawki, atrapy z kierowcami wpatrzonymi pustym wzrokiem przed siebie. Chodniki zatłoczone. Kipiały kolorami, najnowszym szykiem mody prezentowanym przez nieruchome manekiny.

Ruszył w ten tłum. Omijał zręcznie kobiety niosące firmowe torby z zakupami, pana z pieskiem usiłującym podlać oponę zaparkowanego samochodu. Urządził sobie slalom pomiędzy budką z lodami i grupką dzieci z zadowoleniem oblizujących śmietankowe wafelki. Zostawił za sobą maklerów giełdowych z nieodłącznymi aparatami komórkowymi przy uszach, policjanta, sprzedawcę warzyw, gazeciarza, nastolatków z nosami przy szybach sklepu komputerowego. W końcu przeszedł obok sporej grupki ludzi zgromadzonych na rogu czwartej, przy budce telefonicznej, a potem skręcił w lewo, obok zatłoczonego centrum handlowego z kafejką otoczoną przyciętymi rubiniami.

Nie zatrzymywał się, jakby wybierał się na jakąś krajoznawczą wycieczkę. A więc jednak życie toczyło się poza jego Show. Po raz pierwszy patrzył w ten sposób na miasto. Bez skrępowania, bez jakiegoś wewnętrznego pośpiechu i zażenowania. Dostrzegał szczegóły, których wcześniej nigdy nie zarejestrował. Zielony dach nad piekarnią Karowskiego, niski szary budynek z przysadzistym balkonem wspartym na dwóch złocistych, półnagich syrenach. Zauważył szyld „Pogotowie krawieckie", małe kameralne kino schowane za restauracją Friday's. Zdał sobie sprawę, że cała siódma przecznica po obu stronach ulicy obsadzona jest wielkimi kasztanowymi drzewami. Rzucały ogromny, wszędobylski cień, czego nigdy nie zauważył.

Odruchowo spojrzał na zegarek. Uśmiechnął się. Nie musiał się nigdzie spieszyć. Pojęcie czasu nie istniało. Po raz pierwszy mógł robić, co tylko chciał i jak długo chciał. Miał całe miasto dla siebie.

Skręcił w aleję targową, starając się nie potrącić nieruchomych postaci kupujących. Małe, kolorowe stragany ustawione zostały wzdłuż krawężnika, przy żelaznym płotku odgradzającym część handlową od skweru. Peter często zatrzymywał się w tym miejscu. Co prawda nigdy nic tu nie kupił, ale zawsze lubił popatrzeć na towar oferowany przez sklepikarzy. Być może kolorowe wiatraczki, małe samochodziki, pistolety na korki i mechaniczne, plastikowe zabawki przypominały mu dzieciństwo.

Poczuł ucisk w brzuchu. Zgłodniał. Przestąpił z nogi na nogę i rozejrzał się. Stąd miał blisko do jadłodajni Ewansa. Nie pozostało mu nic innego, jak spróbować tam się przebić. Obrał kierunek i skręcił obok mężczyzny trzymającego w dłoni pęk napełnionych helem balonów. Przeszedł przez ulicę i skręcił w boczną alejkę przy kiosku z gazetami. Potem skierował się w dół, w stronę rogu Elbow i Main Street, i wszedł przez obrotowe drzwi do Ewansa.

Stolik od strony deptaka był wolny. Podszedł do niego i usiadł, wycierając chusteczką blat. Rozejrzał się. U Ewansa często spotykali się brokerzy i pracownicy okolicznych firm ubezpieczeniowych. Teraz jednak było tu sporo rodzin z dziećmi. Najwyraźniej zbliżała się pora kolacji, w tych godzinach klienci się wymieniali.

Usiadł, spojrzał na kartę dań i przełknął głośno ślinę. Odechciało mu się jeść. Po pierwsze, zdał sobie sprawę, że musiałby przynieść sobie z kuchni zamówienie osobiście. Po drugie, poczuł się nieswojo. Spojrzał na młode małżeństwo z dwójką małych dzieci na rękach. Wcześniej ich nie zauważył. Stali w odległości kilku kroków od niego. Zmierzali widać do stolika, przy którym usiadł. Kobieta patrzyła na zajęte przez niego miejsce. Mógłby przysiąc, że jej oczy są pełne wyrzutu.

– Okay – powiedział do siebie i ciężko westchnął. – Tylko co teraz?

Wyjrzał na ulicę. Na zewnątrz nie było najmniejszego ruchu powietrza, nawet odrobiny wiatru. Każdy odgłos, który wydawał, roznosił się w otoczeniu dziwnym, nierzeczywistym echem. Przyprawiał o dreszcze.

Wzrok Petera padł na witrynę sklepu Fishburne'a. Wydało mu się, że dostrzegł coś za brudnymi szybami. Ledwie zauważalne, trwające ułamek sekundy poruszenie. Oparł dłonie na blacie i wytężył wzrok. Nic jednak nie spostrzegł, mogło to być tylko przywidzenie.

Walczył ze sobą przez chwilę. Ciekawość okazała się jednak silniejsza. Wstał od stołu i nie spuszczając z oczu sklepu „Maszyny i Urządzenia", wyszedł z jadłodajni na ulicę. Gdyby ktoś teraz go zapytał, o czym myśli, nie byłby w stanie udzielić rzeczowej odpowiedzi. Bał się iść śladem jakiegokolwiek przeczucia, obawiał się swoich domysłów i wątpliwości. Jednak jakaś siła ciągnęła go do miejsca, od którego to się zaczęło. Wiedział, że bez względu na wszystko jeszcze raz musi przekroczyć próg sklepu pana Fishburne'a.

Ostrożnie nacisnął mosiężną klamkę. Przez chwilę miał nadzieję, że sklep będzie zamknięty, jednak drzwi z łatwością się otworzyły. Poczuł chłód i zatęchły zapach, które dobrze znał. Przestąpił próg. W pomieszczeniu panował półmrok. Sprzęty i pudła wyłoniły się z cienia. Wydawało się, że zaraz spadną z półek i pogrzebią go żywcem.

W środku panowała cisza. Nigdzie nie było widać gospodarza. Peter uśmiechnął się. Nabrał pewności, że to, co wcześniej zauważył, było zwykłym przywidzeniem. To na pewno było przywidzenie. Przecież nie byłby w stanie dostrzec jakiegokolwiek ruchu wewnątrz sklepu przez te brudne szyby. Spojrzał za regały i przeszedł w stronę lady. Postanowił się jeszcze rozejrzeć, tak na wszelki wypadek. Wiedział, że sklepikarz jest gdzieś na zapleczu. Pewnie zastygł nad jakimś nowym urządzeniem z diodą naprawczą w dłoni.

Podszedł do kotary oddzielającej główną część sklepu od zaplecza. Coś kusiło go, by tam zajrzeć choć na chwilę. Nigdy tam nie był. Pan Fishburne strzegł swoich tajemnic jak oka w głowie. Nie pozwalał nikomu choćby na krótką chwilę zerknąć, co kryje się w tylnej części sklepu. Teraz Mackormik miał szansę to sprawdzić Mógl

tam po prostu wejść i się rozejrzeć. Przecież starzec i tak
nigdy się o tym nie dowie.

Peter przesunął dłonią po dębowym blacie lady. Znów
poczuł się jak dziecko. Jak wtedy, gdy rodzice wysłali go
na wieś do babci i podkradał pączki kucharce z przed-
szkola. Przeciskał się przez małe okienko na zapleczu,
napychał kieszenie słodką zdobyczą i uciekał do ogrodu,
by skonsumować łup. Teraz też się skradał, jakby bał się,
że ktoś go zauważy. Krew huczała mu w skroniach. Wyciągnął dłoń w stronę kotary. Szorstki materiał przesunął się na koniuszkach palców.

Od strony zaplecza doszedł go powiew powietrza. Zamarł. Coś zaskrzypiało raz, a potem drugi. Zanim zdążył
się poruszyć, ktoś szarpnął kotarą. Mocno, zdecydowanie wyrywając mu ją z dłoni. W progu stał pan Fishburne.
Patrzył prosto w oczy intruza. Nie poruszał się, trudno
było cokolwiek wyczytać z jego twarzy.

– To pan? – zapytał starzec. – Co pan tu robi?

– Ja... – Mackormik próbował zebrać myśli. Gospodarz zaskoczył go całkowicie. – Przechodziłem obok...
Jak pan.. dlaczego pan...

– Dlaczego co? – Fishburne nie wyglądał na zadowo-
lonego z wizyty. Nawet się nie uśmiechał.

– Ja myślałem... – Peter wiedział, że zachowuje się teraz jak idiota. Nic nie mógł na to poradzić.

– Co pan myślał? – głos sprzedawcy stał się bardziej
natarczywy.

– Wiele się dzisiaj wydarzyło... dziwnych rzeczy... –
Mackormik próbował się uśmiechnąć. Odruchowo spojrzał za plecy pana Fishburne'a, w głąb zaplecza. Zobaczył
coś, co zupełnie zbiło go z tropu.

– Niech pan mówi. – Starzec poruszył się niespokojnie. Zmusił intruza do cofnięcia się. Sam przeszedł w głąb sklepu, opuszczając za sobą kotarę.

– Pan wie. – Peter czuł, że drętwieje na całym ciele. – Pan dobrze wie, co się stało!

Jasnoniebieskie oczy wpiły się w niego jak dwa ostrza.

– Panie Mackormik! – Fishburne zmienił ton. Mówił spokojnie, jednak coś w jego głosie wciąż budziło niepokój. – Teraz to pan powinien wiedzieć, co tu się dzieje. To już nie mój interes. Przejął pan cały ten inwentarz i musi pan sobie sam z nim radzić.

– Jak przejął? – Peter zbladł. Zaczął się pocić. – Z czym mam sobie radzić?

– Jeśli pan chce, żeby to się wszystko dalej kręciło... – Gospodarz wykonał nieokreślony ruch ręką. Podszedł do lady. Otworzył kasę, wyjął z niej pieniądze i schował do kieszeni. – Mnie już na tym nie zależy. Nie mam do tego wszystkiego głowy. To trwa zbyt długo. Każdy musi przejść kiedyś na emeryturę. Nawet nie wiem, czy było warto przez tyle lat się męczyć... dla kogo?

– Nie mam pojęcia, o czym pan mówi! – Mackormik wytarł spocone dłonie w spodnie. Nie potrafił zapanować nad drżeniem ciała.

– Panie Mackormik! – Fishburne odwrócił się do niego. Po raz pierwszy się uśmiechnął. – Pan dobrze wie, o czym mówię. W sumie gdyby nie pan, zamknąłbym ten interes już dawno temu. To nie jest takie proste zarządzać tym wszystkim. Sam się pan przekona. Zawsze coś się wymyka spod kontroli. Coś się sypie. Na pewno będzie pan zatrzymywał ten świat, tak jak teraz pan to zrobił. I to częściej, niż pan myśli!

– Skąd pan to... – Ciemne plamy tańczyły przed oczami Petera, z trudem skupił wzrok na twarzy Fishburne'a.

– Ale tym niech się pan nie przejmuje. – Z gardła starca wydobył się głośny, zgrzytliwy rechot. – Każdy potrzebuje choć odrobiny wytchnienia!

Peter znów zadrżał. Odwrócił się w stronę zaplecza. Jeśli gdzieś była odpowiedź, to tylko tam. Musiał to sprawdzić. Musiał sprawdzić, co ukrywa ten staruch. Chwycił zasłonę. Czuł, jak jego dłoń zaciska się na materiale. Szarpnął z całej siły, słysząc, jak pękają metalowe żabki. Zasłona opadła. Mackormik przekroczył ją i wszedł do pomieszczenia.

Na środku zaplecza stało urządzenie. Duży, lśniący metalicznym blaskiem sześcian. Konsoleta wyglądała dokładnie tak jak ta, którą mieli w studiu CNAC. Ten sam centralny układ wirtualnej wizualizacji sprzężony z głównym systemem. Ta sama pokrywa z napisem Real World Creator.

Peter się zaśmiał. Obłędnie. Tak samo jak wcześniej pan Fishburne. Teraz przynajmniej ten napis miał sens.

– Zrozumiał pan? – Starzec stanął obok niego. Patrzył na gościa. Mackormik miał wrażenie, że widzi w jego oczach współczucie.

– Zrozumiałem – odpowiedział. – Ale dlaczego ja?

– Dlaczego pan? A dlaczego nie? Nadaje się pan do tego doskonale. Wiedziałem to od momentu, w którym pojawił się pan po raz pierwszy w sklepie.

– Ale jak to wszystko możliwe? – Peter wciąż miał wrażenie, że prowadzi jakiś nierzeczywisty dialog z sennego koszmaru. Zaraz się obudzi i okaże się, że tak naprawdę uciął sobie krótką drzemkę pomiędzy uzdrawiającymi zabiegami w domu wariatów. – Jak pan mnie w to wplątał?

– Przecież to proste! – Starzec podparł dłonią podbródek. Starał się zachować powagę. – Pan myśli, że kto załatwił panu to Show? Kto przekazał maszynę prezesowi CNAC? Wystarczyło tylko czekać, aż będzie pan gotów. Chciałem, żeby Peter Mackormik poćwiczył przed wielkim finałem!

– Pan jest szalony! – Mackormik czuł suchość w ustach. Nie mógł pogodzić się z oczywistym faktem, że nad całym swoim życiem nie miał żadnej kontroli. – Przed finałem? Pan to traktuje jak jakąś zabawę?

– Takie jest życie. – Fishburne uśmiechnął się smutno. – Nie wolno wszystkiego brać tak na serio. Szkoda zdrowia... – zacytował.

Petera przytkało. Cynizm starca zbił go z tropu.

– A co z nim? – zapytał po dłuższej chwili. – On na to wszystko pozwala?

– On? – Fishburne podążył wzrokiem za palcem wycelowanym w sufit. – Ma pan na myśli Stwórcę?

– Tak, Stwórcę. – Mackormik spojrzał na starca jak na bluźniercę.

– On już dawno dał sobie z tym wszystkim spokój. – Fishburne machnął jedynie ręką. – Odpuścił sobie. W końcu każdemu potrzebne są wakacje. Tak jak teraz mnie...

– Wakacje? – krzyknął Peter. – A ja? Co ja mam z tym wszystkim zrobić?!

– Pewnie przejdzie pan tą samą drogę... – Gospodarz zbliżył się do szafy przy ścianie. Stały pod nią walizki. Podniósł jedną z nich.

– To znaczy?

– No... – Fishburne zastanowił się głęboko. – Na początku chciałem stworzyć idealny świat. Wie pan, wszystkim po równo. – Uśmiechnął się do swoich wspomnień. – Komunizm był tylko eksperymentem, proszę mi wierzyć.

– I co?

– I nic... – Chwycił w dłoń drugą walizkę. – Nie da się spełnić wszystkich zachcianek... Nie da się żyć ideałami...

– Ja sobie nie dam z tym rady! – Peter podniósł dłonie do skroni. Pulsujący ból rozsadzał mu czaszkę.

– Eee tam! Na początku też się tak przejmowałem. – Starzec obrzucił szybkim spojrzeniem zaplecze, jakby upewniał się, czy wszystko ze sobą zabrał. – Poradzi pan sobie. Tego jestem pewien.

– Ale co mam teraz zrobić? – głos Mackormika był wołaniem o pomoc.

– Co pan tylko chce... – Fishburne puścił do niego oko. Przeszedł obok Petera, otworzył drzwi i wyszedł na ulicę. – Na co tylko pan ma ochotę!

Peter wyszedł ze sklepu chwilę później. Przystanął na chodniku. Popatrzył na otaczających go ludzi i zamyślił się głęboko.

Podjął już decyzję. W końcu nie okazała się tak trudna. Wszystko będzie tak jak dawniej, zadecydował. Tak będzie najlepiej. Nic nie zmieni. No, prawie nic. Uśmiechnął się. Wprowadzi się tylko jeden obowiązek, jedną podstawową zasadę. W końcu to nie jest wygórowane żądanie... Od dzisiaj. Nie, od jutra! Od jutra wszyscy pomiędzy 20 a 23 będą musieli oglądać Show Mackormika. I wszyscy, wszyscy bez wyjątku... będą bić mu brawo!

– Show, czas zacząć Show! – zawołał Peter Mackormik. Odetchnął głęboko i uderzył z całej siły w dłonie.

Strzelin, grudzień 2004

Serdelek na wakacjach

Pani Kowalska spakowała walizki w iście ekspresowym tempie. Teraz stały pod szafą. Jedne pełne letnich bluzeczek, sukienek, klapek, olejków do opalania, jedno- i dwuczęściowych strojów kąpielowych, inne wypchane niezliczonymi zbędnymi rzeczami, jak choćby lokówka do włosów i przenośny telewizor. Pani Kowalska zastanawiała się jeszcze nad zabraniem porcelanowej zastawy i kompletu srebrnych sztućców. W końcu wraz z panem Kowalskim planowali spotkać się w ośrodku wczasowym ze starymi znajomymi. Przy tej okazji mogli zrobić na współwczasowiczach piorunujące wrażenie, racząc ich wykwintną kolacją. Pan Kowalski, który właśnie wrócił z garażu, poparł pomysł bez zmrużenia oka, kazał nawet żonie spakować dwa pozłacane świeczniki, żeby nastrój płonących świec i czerwone wino szybciej przełamały pierwsze lody.

Pan Kowalski cierpliwie znosił bagaże po schodkach najpierw na półpiętro, a potem przed dom, na rozpalony letnim słońcem podjazd. Zaparkował samochód pod drzewem, tak żeby nie nagrzały się siedzenia, pani Kowalska bardzo nie lubiła siadać na rozgrzanej skórze tapicerki. Ładowanie walizek nie zabrało dużo czasu. Pan Kowalski był człowiekiem niezwykle zorganizowanym i już od dwóch dni miał rozrysowany plan rozmieszczenia sprzętów w bagażniku swojego pick-upa. Z podjazdu momentalnie znikły ustawione w piramidę rzeczy. Zaledwie dziesięć minut później pani Kowalska pisnęła z radości, przerzuciła szal przez ramiona i zakładając nowy słomkowy kapelusz, kupiony specjalnie na okazję wyjazdu, wskoczyła do samochodu.

Pan Kowalski, nie zastanawiając się długo, zrobił to samo. Usiadł za kierownicą, założył trzy pary skórzanych rękawiczek, z którymi nie rozstawał się nigdy podczas jazdy, i zapalił silnik. Stare małżeństwo uśmiechnęło się do siebie. Nie pamiętali już ostatnich wspólnych wakacji. W tych czasach trudno było o urlop. Pani Kowalska pracowała w banku, w dziale kredytów mieszkaniowych, a pan Kowalski w nadzorze budowlanym nowo powstających centrów handlowych. Ciężka praca i nadmiar obowiązków nie pozwalały im wcześniej myśleć o wyjazdach. Teraz wreszcie obojgu nadarzyła się okazja na wspólny, zasłużony odpoczynek. Pani Kowalska przeszła właśnie na emeryturę, a pan Kowalski dostał długo wyczekiwany urlop. Oboje postanowili wykorzystać go, wyjeżdżając nad morze, do najdroższego kurortu nad Bałtykiem.

Pan Kowalski wcisnął pedał gazu, skręcając w alejkę prowadzącą do głównej szosy. Samochód podskoczył na krawężniku i wolno ruszył wzdłuż jednakowych domków osiedla zbudowanych pod koniec dwudziestego pierwszego wieku dla średnio zamożnej klasy. Pani Kowalska zerknęła jeszcze ukradkiem przez boczną szy-

bę, czy nie patrzy na ich odjazd sąsiadka, pani Malinow-
ska. Między dwoma domami panowała stała rywalizacja.
Zaczęła się od sprawy błahej, kuchennych zasłon kupio-
nych w domu towarowym Centrum. Pani Kowalska do
dzisiaj uważała, że to ona pierwsza wymyśliła wzór gru-
szek pasujący jak ulał do framugi okiennej. Nie wybaczy-
ła Malinowskiej, że identyczne firaneczki zawisły kilka
godzin później w domu sąsiadki. Równie zacięta rywalizacja panowała, gdy chodziło o meble do jadalni, nowego psa, czy chociażby wakacje, jak te, na które dzisiaj
wybierała się z mężem. Pani Kowalska uśmiechnęła się
do siebie. Zauważyła cień w oknie sąsiadki, widać Ma-
linowska nie próżnowała. Można było być pewnym, że
pęka z zazdrości.

Nagłe hamowanie pana Kowalskiego wytrąciło panią
Kowalską ze stanu błogiego samozadowolenia. Pasy na-
ciągnęły się do granic możliwości, rzucając kobietą gwałtownie w przód i do tyłu. Kapelusz na jej głowie prze-
krzywił się, opadając na oczy. Pani Kowalska sapnęła
ciężko, modląc się w duchu, żeby sąsiadka nic nie zauważyła. Takiego wstydu by nie przeżyła. Kobieta spojrzała
na męża ze złością, lecz w tym samym momencie sama
uświadomiła sobie, dlaczego zahamował.

– Nasz Serdelek? – zapytała niepewnie. – Jak mogłam
o nim zapomnieć! Jak mogłam? Co by o nas pomyśleli
Dawidowiczowie, gdybyśmy przyjechali nad morze bez
Serdelka?

Pan Kowalski sprawnie zawrócił samochód na podjazd. Pani Kowalska wyskoczyła z niego jak oparzona
i popędziła w stronę domu, kierując się wprost do kuchni.

Serdelek, tak jak się spodziewała, stał koło lodówki. Nie ruszał się, nawet nie zareagował na gwałtowne wejście gospodyni.

– Bylibyśmy zapomnieli o tobie, kochanieńka. Zostałabyś sama w domu. Jak byśmy sobie tam bez ciebie poradzili? Musiałabym na ostatnią chwilę wymyślać niestworzone historie, tłumaczyć się przed Dawidowiczami. Nie zdążyłabym z przygotowaniem kolacji, którą im obiecaliśmy. A sklepy będą już na pewno pozamykane.

Serdelek nie zdradzał wyrazem twarzy swoich uczuć. Dziewczyna była wystarczająco dorosła, by wiedzieć, kiedy milczeć. Nie chciała jechać, najchętniej wykrzyczałaby to jak najgłośniej mogła. Nie miała jednak do tego prawa. Musiała być posłuszna. Ruszyła wolno za panią Kowalską w stronę samochodu. W końcu, walcząc z napływającymi do oczu łzami, odważyła się powiedzieć kilka słów.

– Będę mogła jeszcze dzisiaj zobaczyć morze? Bardzo proszę, nigdy nie widziałam morza.

Pani Kowalska spojrzała dobrotliwie na dziewczynę. Wydawało się nawet, że coś na kształt uśmiechu pojawiło się na jej twarzy.

– Obiecuję ci. Zobaczysz dzisiaj morze, ale mamy mało czasu i wszystko musi się odbyć zgodnie z planem. Jeśli się nie spóźnimy, pozwolę ci wyjść na plażę tuż przed kolacją.

– Uwierają mnie płetwy. – Pani Kowalska była wyraźnie rozdrażniona.

Podróż stawała się coraz bardziej męcząca. Gdy wjechali na szybkostradę, samochód zaczął wibrować od oszałamiającej prędkości. W ciągu trzydziestu minut pokonali co prawda ponad połowę trasy, trzysta kilometrów, ale kobieta nie była przyzwyczajona do zbyt długiego przesiadywania w jednej pozycji.

Pan Kowalski leniwie spoglądał na sygnalizatory i tablicę rozdzielczą. W dzisiejszych czasach prowadzenie pojazdu na szybkostradach ograniczało się tylko do tych, wydawałoby się, zbędnych czynności. On także odczuwał zmęczenie podróżą. Trzy pary swoich macek zawiązał wysoko nad siedzeniem, starając się przywrócić im krążenie.

Spojrzał w lusterko, zazdroszcząc skulonej na siedzeniu chudej dziewczynce. Nigdy nie przyznałby się, nawet w duchu, że jest ona lepiej przystosowana do warunków panujących na planecie niż on sam. Zresztą nie miał prawa tego zrobić. Wielki wybuch z 2040 roku pokazał, kto tak naprawdę jest w stanie przetrwać na Ziemi. Kto jest najlepiej przystosowany. W dzisiejszych czasach nie wystarczały dwie chude rączki i pałąkowate nóżki. Dzisiaj rangą człowieczeństwa była ilość czułków, płetw i odwłoków. Pan Kowalski nie lubił tej dziewczyny. Martwiło go to, że powodem jego antypatii jest fakt, że nie jest taki jak ona.

– Jest już późno – stwierdził pan Kowalski, udając obojętność. W rzeczywistości uważnie obserwował reakcję dziewczyny. Poruszyła się niespokojnie na siedzeniu, popatrzyła za szybę samochodu, a potem na panią Kowalską.

– Obiecała mi pani. – Nie czuć było w jej głosie skargi, było w nim coś zupełnie innego, coś, co wzbudziło w Kowalskim dreszcz obrzydzenia do samego siebie. Postanowił jednak to zignorować. Bądź co bądź, był na niebotycznie wyższym szczeblu ewolucji niż ta nędzna istota.

– Proszę cię, przestań stroić fochy. – Kowalski był zły na żonę i nie potrafił stłumić swoich uczuć. Najchętniej wykręciłby jej wszystkie macki. – Nie możemy zrobić złego wrażenia na Dawidowiczach. O, właśnie idą, uśmiechnij się!

Rzeczywiście, wysoka postać pana Dawidowicza, a później jego korpulentnej żony, wyłoniła się z morza tuż przy wiklinowym koszu, w którym siedzieli państwo Kowalscy. Sunęli w ich stronę statecznie, bez pośpiechu. Pan Kowalski zdążył nawet zauważyć, że pan Dawidowicz ma kilka macek więcej od ostatniego razu, gdy się widzieli. Mężczyzna próbował się pocieszyć, że promieniowanie w rejonie śródziemnomorskich wysepek było o wiele większe niż w Polsce. W końcu przyjaciele padli sobie w płetwy i macki i ściskając się, wymienili kilka dodatkowych uwag o pięknym kolorze skóry współmałżonek, pogodzie i ostatnich meczach piłkarskich.

Dopiero po chwili pani Kowalska dojrzała niską postać ukrywającą się za plecami Dawidowicza. Zamarła. Coś zaczęło ją szczypać przy śluzówkach oczodołów, doświadczyła uczucia, jakiego wcześniej nie znała. Po chwili z czwartego oka drugiego rzędu po lewej stronie spłynął drobnym strumyczkiem słony płyn. Pani Kowalska

nie wiedziała, co ta chemiczna reakcja oznacza. Myślała w tym momencie o dziewczynce, której obiecała, że
będzie mogła zobaczyć morze, i o tym, że obietnicy nie
dotrzymała.

– To jest Pulpecik. – Dawidowicz wskazał na chłopaka. – Przywitaj się z państwem!

Chłopiec skinął lekko głową, jego uwaga była skupio-
na na czymś. Patrzył na morze, które zawsze kojarzyło
mu się z wolnością. Słyszał z opowieści, że gdzieś tam
daleko, na skutych lodem wyspach, przetrwali inni ludzie. Wiedział, że jest ich z każdym rokiem więcej i lada
moment ruszą na południe, ratując takich jak on.

– Zapraszam na kolację! – pan Kowalski przerwał
niezręczną ciszę i poklepał przyjaciela w wypustki na
plecach. – Przygotowaliśmy wyśmienitą potrawę. Dzisiaj
zjemy serdelki w cieście. Na pewno będziecie zachwy-
ceni!

Pani Kowalska poczuła, że jest jej słabo. Popatrzyła
na chłopca. Nie zdradzał żadnych uczuć. Miała obawy,
czy przełknie dzisiaj choćby kęs kolacji. Tym bardziej że
dobrze wiedziała, co podadzą im jutro do jedzenia Dawidowiczowie.

Strzelin 2002

Spis treści

Druga opcja 7

Produkt uboczny 43

Chrononauta 123

Śmierć to zwykłe marnotrawstwo materiału 155

To pana SHOW, panie Mackormik 213

Serdelek na wakacjach 255

Redakcja serii
Dominika Repeczko

Opracowanie graficzne i projekt okładki
Piotr Cieśliński
Dariusz Nowakowski

Grafika na okładce
Robert Sobota, Piotr Cieśliński

Ilustracje
Robert Sobota

Redakcja
Dorota Pacyńska

Korekta
Barbara Caban
Bogusław Byrski

Skład
Dariusz Nowakowski

Sprzedaż internetowa

Zamówienia hurtowe

Firma Księgarska Jacek Olesiejuk sp. z o.o.
05-850 Ożarów Mazowiecki, ul. Poznańska 91
tel./fax: (22) 721-30-00
www.olesiejuk.pl, e-mail: hurt@olesiejuk.pl

Wydawca

Fabryka Słów sp. z o.o.
20-111 Lublin, Rynek 2
www.fabryka.pl
e-mail: biuro@fabryka.pl

Druk i oprawa
OPOLgraf S.A.
www.opolgraf.com.pl